柏楊雜文選讀

柏楊談愛情

柏　楊　著
張香華主編

前言

讀過柏楊探討社會、文化問題文章的讀者，一定有個印象，覺得柏楊是個氣象台的風球，對每個生活在平安無事中的人，隨時隨地提出他先驗性的警告。就像風和日暖的天氣，他會告訴你颱風隨時來襲。他敏銳的洞察力，嫉惡如仇的性格，突兀崢嶸的文筆，使他成爲一個言人不敢言，又極負憂患意識的作家。

所以，當我們在一個場合，聽到這位作家公開答覆別人問他什麼是婚姻中最重要的要素，他直接了當就答覆一個『錢』字時，我們初則愕然，既而却不得不承認，這的確本來就是婚姻生活中最實際的一個要素。也許正因爲它太實際了，歷來許多談婚姻理論的人，不但對它談得最少，甚至不知該如何談它。而柏楊分析問題，一貫像這樣一針見血，不避諱、不忸怩，眞知灼見得有時頗令人措手不及。就如我們所知，當時在場的柏楊夫人就被他弄得氣結，好像柏楊在外人面前坦承自己婚姻難堪的境遇似的。其實，柏楊這樣回答，並不是從個人感受出發，而是以一個雜文家對社會、對人生，客觀而獨到的剖析而已。

一九六〇年代初，柏楊從事雜文寫作，從這一連串討論愛情、婚姻、男女問題著手，後來相繼結集出版爲『玉雕集』、『堡壘集』、『紅袖集』等等，一時風靡天下，轟動四方，直到八〇年代的今天，書中許多見解，仍被天下有情人引述，做爲戀愛、婚姻的寶典。台灣省宜蘭縣政府，就曾在宜蘭縣集團結婚典禮上，特別購買柏楊的書籍作爲對每對新人的祝福，由此可見這些書的精闢，和它的影響力。

成功的文學作品，內容一定吸引人，而一個作家最大的能耐就是能用文字引起讀者的興趣。在這一項上，柏楊的寫作是成功的，他沒有板起臉來說教，或玩弄一些流行的艱澀用語，或意義含混不清、玄之又玄的名詞與吊詭的理論。他幽默自嘲的文體，不但使他在處理這類文章上，有令人喝采的可讀性，更使他建立起前所未有、獨立不羣的文章風格。所以，柏楊的雜文，不只是一時一地的社會反映，也有他恆常不變的文學價值，理由在此。

本集主題包括兩性、愛情、與婚姻問題。從六〇年代，到八〇年代；由男主女從，到男女平權意識强烈的今天，兩情相悅不但是文學永恒的題材，也是人性永遠嚮往的和諧樂土，柏楊獨到而透徹的看法，提供給我們不少指引。

尤其本集是由柏楊夫人——張香華女士編選，使這本集子不但具有理論性，更具有實證性。本書選輯完成後，本社曾走訪張女士，我們想從柏楊最親近的人身上，尋找到爲什麼柏楊對世態、人性有如此深刻洞察力的原因。身爲女詩人的張香華，在與柏楊共同生活十餘年之後，仍然這麼說：『我很少見到像他這麼熱情的人。他這個人的個性既複雜又統一，他的風貌不斷在變，我不斷的發現他無數個另一面。』

大概正因爲這樣，柏楊才能運用他磅礡的才氣，在這個亘古常新的主題上，不斷寫出他無窮的觀察和無盡的趣味吧。

皇冠出版社

一九八八・九

目錄

愛屋不及烏

『紐倫堡大審』那位年高德劭的法官，曾告訴因這一影片而得金像獎的男主角曰：『你講的都合乎邏輯，但合乎邏輯的並不都是合乎眞理的。』這兩句話的學問大矣，誰說文學家容易幹乎，僅這兩句話，那個劇作家便應被供進聖人之祠。恐怕中國目前的作家，擠不出如此這般的見解。但我們却可套之曰：『凡是眞理，也不見得統統是合乎邏輯的』也。

愛情尤其如此，蓋愛情和魔鬼一樣，不受人爲的規律所拘束，性質異常的怪，你不承認不行。聖人曰：『愛屋及烏』，此典故在辭海上一查便知，但不妨再加說明：你新蓋了一座房子，美輪美奐，忽然一隻烏鴉先生站在屋頂上哇啦哇啦亂叫，大怒之下，能給牠一個手榴彈哉？蓋那準把屋頂轟垮，眞是天下最大的笨蛋也。跟此同一道理的屋和烏，則是女兒和男朋友、女婿，兒子和女朋友、媳婦焉，有些岳父母公婆把女婿、媳婦簡直看成眼中釘，無他，一點也不邏輯，一點也不『愛屋及烏』。不但不愛屋及烏，反而愛屋恨烏，像『孔雀東南飛』焦仲卿先生的娘，便是一個典型，把媳婦恨得要死，非趕她走路不可，結果媳婦固趕走啦，兒子也翹了辮子。老太太聽到兒子上吊消息時，心裏是啥滋味，外人不知。但我跟你敢賭一塊錢，如果這裏面沒有愛情，而僅只是屋子和烏鴉，絕不會弄成那個下場。

愛情使人自私，柏楊先生有時聽廣播，有時看小說，常聽到和看到一些詮釋愛情的話，曰：『愛情是不自私的』，嗚呼，離開自私，還有愛情乎哉？不自私的愛情，像沒有軀體的人一樣，有此可能乎哉？你不妨研究一下，凡是到處宣傳愛情不自私的人，危險性都很龐大；千金小姐也好，風流寡婦也好，最好不要惹他，否則準有戲可瞧的。

柏楊先生最討厭青蛙，我的幼孫却硬是喜歡，家有一箱，專供其貯蛙之用，偶忘關閉，則床上桌上，遂成了蛙老爺天下，教人怒火冲天。可是既然幼孫愛之，我們老兩口只好也因而愛之。數學上有那麼一個公式，甲等於乙，乙等於丙，則甲準也等於丙。於是，甲愛乙，乙愛丙，甲因之也非愛丙不可，還有比這更結實的邏輯乎？然而愛情上却不一定如此，丈夫愛太太，太太愛姘頭，你總不能說丈夫也愛姘頭吧。恐怕不但不愛，多半都白刀子進去，紅刀子出來。我的鄰居有一位正在讀大學堂的女兒，男友如雲，最近被一般實富商包她前往美國，乃將所有戶頭統統斬斷；有時深夜不寐，聽她在門口和那些糾纏不清的男孩子們竊語，她每每哀怨曰：『你不是說你愛我乎？願為我死乎？願教我快樂乎？你不再理我，不再打擾我，不再愛我，成全我去美國的念頭，你就是愛我，就是教我快樂啦。』我聽了立刻毛骨悚然，她這一輩子如果平安無恙，眞是上天特別照顧她。她的話再合乎邏輯不過，我想就是教邏輯學的教習都無法抬槓，可是邏輯用到愛情上，就可能使人冒出殺機。不要說男士聽不進去，即令聽得進去，被說得啞口無言，垂頭喪氣，恐怕也只是口服心不服。

愛情是自私的玩意，只有在自私獲得滿足之後，才能表現出愛情的偉大。沒有自私，便沒有愛情。你閣下有一女友，平常她一咳嗽你就心跳，可是上個月美國鋼鐵大王那位如花似玉兼腰纏萬貫的女兒，非嫁你不可，專機一架，接你去紐約結婚。二十年後，你從前那位女友又有咳嗽，你的心還跳不跳乎？你至愛你的太太，而你的太太却去旅館和別人亂搞，你又是啥想法哉？如果愛情的本質不是自私的，反正有妻大家睡，那你應哈哈一笑也。然而，這種男人，又算啥東西？

愛情不但不能轉嫁，而且也沒有必然的發展途徑，一個科學家把氫二氧一弄到瓶子裏，用不著任何甜言蜜語，結局一定是水。愛情則不然，本來你種下去的是西瓜，如果你不用培養西瓜的方法去培養，將來說不定長出來的是噝牙菜。當初愛得要命，經過如彼之坎坷和如彼之奮鬥掙扎，才爭到手的愛情，按邏輯說，還能不珍惜、不長久者乎？那個瓜子不能說不大不巨，不能說肥料不足，然而長出來的仍是噝牙菜，其中道理簡直跟耶穌基督一樣的奇妙，夠我們吃驚的矣。

愛情既不是邏輯的，自然而然也不是永恆的。嚴格講起來，天下沒有永恆的東西，連石頭都會氧化，連太陽都會熄滅也。可是比較起來，石頭和太陽固永恆之物也，百年前太陽是太陽，百年後太陽仍是太陽；你小時候兀立在你庭院中的那塊花崗石，等你老大回鄉時，那花崗石包管依然存在，沒啥異樣。愛情恐怕不能這麼的簡單。當初簡直鬧得天翻地覆，等於殺開一條血路，才算結成連理。這些愛情，其濃其烈，其以生死相許，就是把人類中典型的傻瓜司馬衷先生從墳墓裏拖出來，他都會拍胸脯保證，絕不會有什麼變化。問題是，怪就怪在這裏，愛情跟月球一樣，向陽的一面，固然熱得要發瘋，背陽的一面，却冷得硬要凍成殭屍。

不要看情侶們在一起如漆投膠，等過了兩年，你再去打聽一下，恐怕誰也不認識誰矣。再嚴重的海誓山盟都沒有用，蓋無論男女，在緊要關頭，啥驚心動魄的話都說得出，這些話能作得了準歟？不要說在緊要關頭的話作不了準，便是在正常情況下，說了都很難作準也。

如果都能一一兌現，天下還有婚變哉？還有失戀哉？還有桃色新聞以飽讀者的眼福哉？在美國有一個小故事，某大亨和他漂亮的女秘書打得火熱，人人都知道他們不可開交，可是却忽然告吹，朋友詢之，大亨曰：『那女人太厲害，她把我說愛她的話用打字機一字不漏的打下，叫我簽字，那豈不要我的老命。』洋大人大概太重然諾，如果換了中國人，恐怕妳叫我簽字我就簽字。某新郎就把他愛新娘的話當衆全部錄了音，新娘也照錄不誤，這就比洋大人膽大得多。其實，簽名也好，錄音也好，只可保障經濟，一旦等他變心，用它敲一筆竹槓，以便再找別的戶頭；恐怕不能保障愛情，因愛情本質上就是多變而不穩定的，僅憑幾句甜言蜜語的海誓山盟，成不了太陽和花崗石。

一個女孩子如果要嫁給一個拋棄過妻子的男人，家長親友，每每警告之曰：『他能拋棄他太太，也就能拋棄妳，他太太就是一個活榜樣，妳怎麼執迷不悟？』一個男人如果娶一個風流女子，朋友也會警告之曰：『她把前面那個男人一狀告到法院，連血都榨罄盡，你玩得過她乎？前面那個男人比你精明得多啦。』這一類的警告，有其至理存在，一個人如果沒有智慧從別人痛苦中吸取經驗教訓，那眞是蠢豬。但問題却在於，如果他們說的話不關愛情，可能成爲定律；不幸他們說的話竟關愛情，便沒有那麼科學。張三先生第一次娶瑪莉小姐踢之，第二次再娶麗沙小姐亦踢之，第三次娶海倫小姐，你敢肯定他也踢之乎？說不定恩情如蜜，終身不渝。李四小姐第一次嫁約翰先生離之，第二次嫁喬治先生亦離之，第三次嫁威伯先生，你敢肯定她也非離之不可乎？除了上帝，誰都難預料也。

紀曉嵐先生在『閱微草堂筆記』上有一則記載：某一位婦人，前夫死時，她沒有一點戚容，甚至還掛上紅布，以示普天同慶。嫁人後過了幾年，第二個丈夫也伸腿瞪眼，她閣下披麻戴孝，哀痛逾恆，截髮自矢，爲夫守節。別人見而奇怪曰：『妳已是再嫁之人，還守啥節？何況不爲第一任丈夫守節，而爲第二任丈夫守節，那算啥理？』她閣下答曰：『第一任丈夫虐我打我，毫無夫婦之情，他死了我很高興。第二任丈夫不以再嫁輕我卑我，反而愛我敬我，我自然報答他。』

嗚呼，這則筆記，人人應該一讀，愛情之多變和不按邏輯進行，可增一說明。他可能一向亂搞，她可能也一向亂搞，却在最後一次改邪歸正，誰都不能肯定有其一必有其二，有其三必有其四。廉價小說上對此發揮得最淋漓盡致，凡是背夫私奔的妻子，或是背父母私奔的女兒，鐵定的都沒有好下場，眞是見了他娘的鬼。愛情如果那麼簡單，有其必然結論，可以用數學公式算出來，那叫人工受孕，不叫愛情。蓋背夫私奔也好，背父母私奔也好，其結局糟不可言的固多，但異常美滿的亦有的是。柏楊先生說這話，不是奉勸太太小姐趕快收拾舖蓋，假使老妻或愛女跟野男人跑掉，我恐怕要大打出手。然而我爲此言者，只在研究一下愛情的特性，以便說明很多愛情糾紛的眞相，望有學問的朋友察之也。

愛情的本質是自私的，也是不合乎邏輯的，同時也是虛榮的焉。一談到愛情的本質是虛榮的，準有人暴跳如雷，說我對愛情橫加汚蔑，簡直不當人子。然而事實歸事實，不承認歸不承認。假使柏楊先生臨老入花叢，明天也談起戀愛，我也會咬定牙關，跟聖崽站在一條線上，而且誰要說愛情是虛榮的，說不定還要揍以老拳，用以表示我這個人最堅貞可靠，妳放心陪我上床可也。然而，我現在旣不談戀愛，自無所顧慮，心情平靜，腦筋淸楚，不妨ㄖ吐眞言。

聖人曰：『旣其老也，戒之在得』，蓋普通人一旦成了老頭老太婆，往往發現世界上啥都是假的，妻子丈夫兒女都靠不住，唯有錢才是眞的，可解決任何疑難雜症。於是，父母和子女之間——尤其是和女兒之間的衝突開始。杜牧先生詩云：『商女不知亡國恨，隔江猶唱後庭花。』我們可套之曰：『少女不知錢重要，硬要嫁給窮光蛋。』父母和女兒的糾紛，多半由此而起，父母根據一生慘痛而寶貴的經驗，對女婿的要求，只要有錢就行。而女兒則不然，喜歡音樂的，則要嫁音樂家焉；喜歡詩的，則要嫁詩人焉；喜歡看小說的，則要嫁小說家焉；喜歡跳舞的，則要嫁跳舞師焉；喜歡白相的，則要嫁花花公子焉；喜歡去美國的，則要嫁留學生焉。偏偏把『錢』的問題置於大腦之後，甚至連餓死都不在乎。

於是，一場激烈的家庭內戰遂白熱化，父曰：『妳嫁給張三，張三一個月多少錢？能養活了妳乎？』母曰：『張三那小子銀行裏多少存款？有房產乎？你們將來有了孩子怎麼辦？』女兒憤憤曰：『錢，錢，錢，你們就知道錢，好像要賣女兒。我只要人，不要錢。』嗚呼，基本觀念竟如此之相異，縱是談三十年都談不攏，結果不是女兒和該窮小子一溜了之，便是果眞嫁給一個有錢的。後者還好，前者自然搞得轟轟烈烈，把父母氣得九死一生，父母之所以九死一生者，一方面氣女兒不聽話，一方面氣女兒不知道錢中用也。

有人就在此歌頌起愛情的偉大和純潔了矣，不過問題似乎不能如此簡單的就可找出答案，一個千金小姐愛上一個窮小子，往往因該千金小姐對『窮』的意義並不眞實的了解，我常聽有些富家少女向其男友發誓曰：『我啥苦都能受。』便不禁想上前去打她一個嘴巴，蓋她根本不知道『窮』是何物，『苦』又是何物耳。她以爲窮者，頂多是不天天做旗袍，苦者，頂多是不天天跳舞，窮苦者，頂多不僱人擦汽車而自己擦之也。這種少女娶到家，當丈夫的只好整天挨打受氣，終於自尊心喪盡，抱頭鼠竄。

除了對『窮』的誤解，主要的還是虛榮心在作怪，那就是：她不相信她的男朋友會永遠沒有錢，現在固然窮兮兮，而總有一天，錢多如山，足可以堵住父母親友的嘴。試問哪個少女肯承認自己天生的受罪命，死心塌地的專找窮到底的丈夫過一輩子也。

第二次世界大戰初期，美國私生子憑空增多，一個私人資助的研究所，調查一年之久，發表一項使道貌岸然嚇一跳的結論，報告書上曰：不知道什麼緣故，少女們對一些穿著窄窄軍褲，屁股因包得太緊而膨脹的年輕小伙子，簡直是着了迷；每逢有部隊經過和開拔時，軍營附近無法下手，她們就蜂擁到火車站，向那些隊伍已經解散、零亂候車的阿兵哥大飛媚眼，然後就在野地表演一陣，才算罷手。這個報告發表後，迫使美國政府不得不頒佈嚴令，即是在候車時間，隊伍也不准解散，防小伙子被誘惑得昏了頭。

這是可以解釋的，基於愛情的自私本質，女孩子既不爲你的錢，一定得爲你點啥——或者愛你老實；或者愛你英俊；或者愛你文章寫得好，天下聞名；或者愛你的官大，到處有人恭維；或者愛你長得小白臉，女人見了都要慾火中燒；或者愛你的學問大，連阿比西尼亞文都精通，而且又會發明原子彈；或者愛你交遊廣，連去舞場都不花錢。總而言之，她一定得爲點啥，絕沒有一點啥都不爲的愛情。最常見的現象是：她和她心愛的男朋友或心愛的丈夫，並肩而行，她一定有點驕傲之感，她才快樂；如果沒有驕傲之感，則事情就要糟糕。有一天我在街頭遇到一個女學生，介紹其夫與我，是一知名之士焉，我連表敬意曰：『久仰久仰，報上說你最近要去英國講學？』女學生聽之大喜；如果她的丈夫是柏楊先生，我想她介紹時便不可能如此俐落，蓋驕傲不起來也。

虛榮和榮譽

虛榮有時候和榮譽簡直很難弄清，一個人寧可賣掉被子，出門硬是要坐計程車，你說他是虛榮，他說他是榮譽。一個人為國犧牲，你說他是榮譽，遇到鄉愿，却會說他是虛榮，洩盡了你的氣。

任何愛情上的驕傲都有虛榮的成分，紐約一個女人有一天從街上歸來，進門便落淚如雨，其夫問之，她傷心答說：『我走到街上，連清道夫都不再偷看我啦。』想當年她一定美艷絕倫，步履所至，清道夫都忍不住仰頭一覷，可知其魅力之大，而如今清道夫首先發難，不再看她，一葉落而知秋，一人不看而知老，傷魅力之減，哀年華之增，怎能不一哭乎？詆之者責其虛榮，同情之者認爲她爲榮譽而奮鬥，公說公有理，婆說婆亦有理焉。

在愛情的領域中，榮譽和虛榮簡直從頭到尾混淆。有這麼一種現象，男女戀愛，女子比較富有，男子窮得就是吊到絞架上也絞不出一滴油水，如果女子愛他至深，或者是女子昏了頭，一娶一嫁，當然沒有問題。如果女子父母提醒了她，或她自己恍然大悟：『嫁了他吃啥？』這場戀愛恐怕要完蛋，那個小伙子準跳起腳來，大罵那女人虛榮。

哲人們對『錢』的問題，已經說了不少格言，在這方面，柏楊先生則另有高見。族孫某某，今年二十三歲，追一董事長女兒，眼看就要吹吹打打進洞房；不知道從那裏刮出一股斜風，把戀愛的船刮離航線，再去訪她，看門的人手持鐵棒，就要動武。年輕人以我的學問奇大，特來請益，來時鼻孔冒煙，聲言要一刀把她殺死，我乃問曰：『她不理你，原因何在？』答曰：『嫌我沒有錢。』我曰：『然則你有錢乎？』答曰：『沒有。』我曰：『那麼她沒有錯，而是對了矣，你還有臉鬧啥？』答曰：『愛情是純潔的，她太虛榮。』我曰：『憑你這句話就該活埋，我問你，你一月多少銀子？』答曰：『九百元。』我曰：『公家有宿舍乎？』答曰：『沒有。』我曰：『然則一旦你們結了婚，便非得租房子不可矣，除了正薪，你還有外快乎？』答曰：『兼一個家庭教師，月入三百元。』我曰：『那麼一月一千二百元矣，還有其他收入乎？』答曰：『沒有。』我曰：『能貪汚揩油乎？』答曰：『不行，我管的是設計。』我曰：『這就叫糟，你結婚後需要租房子，六蓆榻榻米兩間，至少五百元，剩下的七百元，不買肥皂乎？不買牙膏牙刷乎？還有襪子、衣服、應酬，請問不足之數，你將怎麼辦哉？』答曰：『旣然相愛，就應共同受苦。』我曰：『好小子，說的全是狗屁之話，對自己心愛的女孩子，還沒有結婚哩，便打定主意敎她受苦，眞是蛇蠍心腸，再不快滾，看我打斷狗腿。』該年輕人趁我找棍子之際，飛奔而逃。

嗚呼，現在的女孩子們懂事多啦，不要說比十年之前或甚至百年之前，便是比五年之前，其見識都不一樣。五年之前，女孩子以嫁洋人爲榮，自從有一個姣娘嫁了一個美國擦皮鞋的，弄得非常掃興後，女孩子乃改變目標到華僑頭上。我有一個朋友，其女正讀高中，美人兒也，追之者恆數十人，有一天其女帶了一個窩窩囊囊的角色來訪，介紹曰：『美國華僑』，當時尙無異狀，可是下星期日忽接喜帖，他們竟然結上了婚。近來此風固然茂盛如昔，但已更爲精密，僅只『華僑』二字，已不如當年那麼唬人，必須經過函件往返，打聽底細，如果眞有店舖有農場，那當然是非嫁不可，如果只是一個空心老倌，凑了幾個錢回國跑單幫，仍是棉花店失火——免談。

在這上面可研究一下虛榮和榮譽的分際。一個女孩子挑選丈夫，非百萬富翁不可，非把她弄到美國或弄到羅馬不可，非有汽車洋房不可，我們指摘她愛好虛榮，還說得過去；如果她的目的只在避免凍餒而求溫飽，一個男人連這最低的要求都不能做到，反而拉著嗓門吼她虛榮，便說不過去也。舉一例焉，張先生月入千萬；李先生月入五千；王先生月入一百，如果瑪琍小姐要嫁張先生，王先生抨擊她虛榮，還沾一點兒邊，如果她要嫁李先生，王先生便沒有資格責備她，更沒有資格逼著她非跟自己一塊活受罪不可。

貧窮是一種罪惡，如果社會不允許你發財，這罪惡歸於社會。如果你自己不努力，則這罪惡歸於你自己。自己連養活妻子的力量都沒有，不去努力奮鬥，反而口口聲聲詛咒那些不願跟他一塊受活罪的女孩子；是自己迷了心竅，看樣子就是罵掉舌頭，只能獻自己的寶，不能討到老婆也。

柏楊先生不是提倡女人們都應勢利眼，而是促請小伙子們注意，先自己檢查檢查，努力上進；坐在十字路口一味抱怨女人愛錢，徒顯得自己是個混蛋。

座右之鏡

（柏楊先生按：一九六〇年代，男多女少，座右之鏡和摘麥穗之喻，乃專爲男人而設。一九八〇年代，天下大變，忽然間女多男少，座右之鏡和摘麥穗之喻，則免費獻給女孩子。各位老奶，幸秘密垂鑒。）

挑選太苛，是求偶的最大危機。

人類進入青年階段——一旦女孩子走路時頻頻低頭看自己的腳，一旦男孩子拚命刮鬍子，那就是說，他們已從母親懷裏跳出來，到了求偶年齡矣。一到了求偶年齡，每人都有一套美麗的幻想。哪個女孩子不想嫁一個白馬王子？蓋王子具備了男人最高的和最多的條件。

第一、他年輕焉，女孩子只幻想嫁王子而不幻想嫁國王嫁皇帝者，其原因在此，國王皇帝年紀似乎都很老也。第二、他英俊焉，事實上王子可能其蠢如豬，若晉惠帝司馬衷先生是，可是少女們看史書的少，看童話小說的多，無論童話也好，小說也好，王子無不儀態翩翩，風流瀟洒，而天下所有的小姐，又哪個不愛俏哉？第三、他有錢焉，這一點非王子不足以盡其妙，普通人辛苦一輩子，等到有了錢時，人已老矣，跳舞不動矣，調情無精力矣，有啥意思？只有王子，用不着埋頭苦幹，一生下來就有的是金銀財寶。男人爲了賺錢，出外奔波，把嬌妻留在家中獨守空閨，雖嫁百萬富翁，都得受守寡之苦，嫁王子便無此流弊。第四、他有權勢焉，一個女孩子對權勢的要求，雖沒有對『年輕』、『英俊』、『金錢』的要求强烈，但如果上面三項統統都有，便自然而然希望有點權勢；好比，她去某地一遊，大家聽說她就是王妃，她就是夫人，皆大驚而立，肅然而敬，她則含其微笑，點其油頭，徐步而行，嗚呼，這股味道一經嘗過，終身不忘。是以女孩子幻想的對象中，公教人員不與焉，文學家不與焉，窮光蛋不與焉，年過四十而無名無利的光棍不與焉。

跟女孩子遙遙相對者，則哪一個男孩子不想娶公主？王子具備標準男人的條件，公主則具備標準女人的條件。第一、她也年輕焉，男人們腦海中的公主，很少超過三十歲者，誰不喜歡有一個年輕的妻子哉。第二、她美麗焉，王子必然英俊，公主必然美麗，此乃天經地義之事，從沒有人懷疑到公主還有不堪入目的，男子娶妻，條件雖有一千一萬，歸根到底，美麗第一，漂亮壓倒一切，而所有的公主無不面貌如花，身材如柳，天仙化人，只要看上一眼，便是死都情願。第三、她也有錢有勢焉，嫁一個王子固像嫁一個錢袋，娶一個公主，更像娶一個錢袋，這對中國的知識份子，尤其有强烈的誘惑，只要能巴巴結結和公主結了婚，反正有皇家錢糧可用，不必怕物價上漲，也不必怕十年不加薪矣。如果柏楊先生能娶公主，我每天吃了就睡，睡了就吃，到那時便再也不寫一個字，再也不每天伏案，眼花手顫，可憐兮兮的爬格子也。

嗚呼，幻想終於是幻想，現實終於是現實，世界上沒有幾個人嫁王子，也沒有幾個人娶公主，差不多都是退而求其次，找一個湊數。這跟人生經驗有關，年齡漸大，體會漸多，不得不回心轉意，向環境屈服。當然，也有些死硬派，抱定決心，非自己幻想中的男人不嫁，非自己幻想中的女人不娶，結果找來找去，四大皆空。或者是找了三十年之久，找是找到啦，自己却老矣耄矣，沒人要矣，事不諧矣。

柏楊先生每每勸光棍朋友置一座右之鏡，其中有大學問在焉。我住的是一個大雜院，鄰居中有一寡婦，日子倒也不錯，却只爲求偶之事，煩惱了十多年，她的論據是，上一嫁倒了楣，嫁給一個窮鬼——按，該窮鬼是一寫稿維生的朋友，死得窩窩囊囊，留下母子二人，受盡折磨。再嫁時非嫁一個有錢的傢伙不可。我想這種想法沒有錯誤，這種條件，也屬平常。可是她的附件却多如牛毛，諸如該男人必須是第一次戀愛焉，該男人必須有相當地位焉，該男人必須談吐很有風趣焉。現在她年逾四十，而該男人還沒有出現。我有一次援例勸她買一面鏡子照一下她眼角的魚尾紋和臉上的雀斑，結果她不但沒有照，反而在院子裏指桑駡槐的駡了三天『老不死的』，本想幫助她早獲幸福生活，却想不到招來無妄之災。

因爲女人太少，供不應求，男人們往往降低條件去適應，有的人眞是大徹大悟，沒有大學畢業的，則高中畢業、初中畢業，甚至略識之無的也行；沒有美艷絕倫的，八十分、七十分、六十分，甚至只要不瞎不廝，看着順眼的也行。但有些則始終條件累累，立場嚴正。有一次一個半百光棍朋友前來訴苦，他希望女方年齡不超過三十，須大學堂畢業，沒有結過婚（寡婦或再嫁婦人免議），手中略有積蓄，風度必須絕佳，英語更宜相當流暢……我聽了之後，馬上就寫了一張名片給瑪格麗特公主，請他持往倫敦白金漢宮相親；他最初聽說我有一恰當之人可以介紹，驚喜若狂，後來看了名片，大駡而去。我非有意得罪他，實在是忍不住，這種人如果不置一座右之鏡，再過五百年還是一條光棍。

照鏡子政策，乃是一種使人雖然退而求其次，而仍心安理得的政策，即以柏楊先生而論，一向自視甚高，自以爲了不起者也，可是每次老妻鬧着要離婚，我就嚴拒，無他，蓋照鏡子的結果，乃有下列自問自答：我有學問乎，連沒有標點符號的書都看不懂。我有人格乎？彷彿不見得。（爲保持身家淸白，恕不透露，否則，寫一本書都寫不完。）我有錢乎？一個月薪水九百元，付了房租，連買拉肚子用的草紙都不夠。我有積蓄乎？去年曾在郵局辦了一份存摺存款，現在尙有十二塊壓底錢，不敢動用，以便有急病時買十滴水，其他便再無一文。我年輕英俊乎？那更是慘重，當大學堂教習的人見了我都得肅然起立，以示敬老。我有地位乎？更馬尾提豆腐，提不起來，從月薪九百元上，可窺知是個啥東西矣。嗚呼，柏老假如一時把握不定，中了老妻激將之計，跟她離婚，還有哪個女人肯再瞎眼也。

普通人的婚姻所以能保持較久，而電影明星之所以動則仳離的原因在此，普通人若柏楊先生者，面對座右之鏡，越照越洩氣，便是受點詬罵，打鬧一陣，也就算啦；女子亦然，即令委屈，算盤一撥，心裡一想，也就不再追究。但電影明星則不同矣，他們照鏡子的結果，往往越照越理直氣壯，『憑我這個模樣，豈可老是守着一個？』自然而然的食指大動。幸虧電影明星是人類中的少數，否則社會上將更五光十色。

所以，大體上人總是應該自謙，先看一下自己，再去選擇，求偶才有成功的可能性。有一位朋友，二十年前在重慶時，在大學女生羣中挑，無一中意者；十五年前在南京時，在高中女生羣中挑，亦無一中意者；十年前來台北，在初中女生羣中挑，也無一中意者。老妻看他急吼吼而惶張張，乃為他介紹一個，容貌當然不太理想，他像受了奇恥大辱，曰：『我要是娶這樣的老婆，二十年前就娶啦。』大概喜歡做媒的人，往往有癮，老妻吃了沒趣，面不改色，過了幾天，又介紹一位護士小姐，眼皮下有一黑斑，俗稱淚痣，云兆不祥，他拒不來往，一再勸他將就，他曰：『在南京時介紹的那一位趙小姐，比她漂亮得多，我都不要。』言下之意，連趙小姐都不要，一定比趙小姐更美的才行，老妻氣得打了三天嗝，我當時就想建議他買一座右之鏡，因他的脾氣不好，怕挨其揍而未開口。後來他到南部工作，傳言結了婚，正在思念，他忽然偕太太前來拜年，太太為他前年在某地以新台幣六千元代價『買』來的，不識字，也不知禮，幾乎一屁股就坐到我的尊膝之上。嗚呼，吾友之所以降貴紆尊，說穿了再簡單不過，光棍了五十八年之久，再挺不下去，只好馬馬虎虎俘一個湊數。接談之下，不復當年豪氣，我判斷他一定在沒人處偷偷的照了鏡子也。

希臘哲學家柏拉圖先生有一弟子，以求偶之事上詢，並問以挑選之術，柏拉圖先生乃囑之曰：『你沿着麥壟，從這一端走到那一端，不能回頭，摘一朵全壟中最大的麥穗給我。』弟子遵命而行，邊走邊看，見一朵大的，正要去摘，一想前面可能有更大的焉，乃再往前走，果又見一朵更大的，再要去摘，一想前面可能還有更大的焉，乃再捨去，等走到最後，發現全是蹩脚貨色，比遺留在背後的那些差得多啦，可惜已無法回頭，祇好隨便摘一朵而歸。

（編者按：柏楊先生乃柏拉圖先生的後裔，可知家學淵源。）

據說柏拉圖先生那個弟子最後是赤手空拳見他老師的，老師自然訓他一頓，不在話下。這是一個極有教育意義的故事，我想年過四十歲的光棍朋友，午夜夢回之際，往事潮湧，勢將想到某小姐也，我當初不該那麼對她；某小姐也，她對我固一往情深；某小姐也，我若再一努力，便可卜成；某小姐也，我要稍微低聲下氣，早結連理矣；某小姐也，我應去邀她……如此這般，恐怕無不通身冷汗，輾轉反側，一夜闔不住眼。

柏拉圖先生最精彩的一點，是他特別指出：『不能回頭』，蓋摘麥穗固可回頭，求偶則絕無此可能，時乎不再，形勢各異也。年輕的朋友，不可不知其中契機，遇到差不太多的，似宜早日決定，不要以為前面還有更大的麥穗，須知摘麥穗的人多，而麥穗甚少也。你稍一猶豫，低頭再看，已沒有啦，原來半路上殺出一個程咬金，先下手摘走啦。事情既如此嚴重，再不警覺，眞叫我老人家着急，現在還好，可以『價購』一個，等到一旦有行無市，老光棍就更苦也。

柏拉圖先生勸那位弟子去摘麥穗，可能因該弟子不肯照座右之鏡，不得不心生一計，以啓茅塞。聰明的朋友，自能恍然大悟，動定適當。不過天下事往往如此，原則雖好，幹起事來，却參差有誤。柏拉圖先生藉麥穗作當頭棒喝，以救衆生。不過也可能這一棒喝太厲害之故，固然把有些人打得迷夢猛醒，也同時把有些人打得心驚肉跳，一走下田壟，不管三七二十一，把第一眼看見的麥穗，先摘下來再說，蓋唯恐前面沒有另一麥穗也。於是，或馬馬虎虎的結婚焉，或將將就就的結婚焉，或委委屈屈的結婚焉，或倉倉促促的結婚焉，或窩窩囊囊的結婚焉，或迫不及待的結婚焉，或犧牲一切的結婚焉。怨偶乃由此而成；弱者積鬱終身，奄奄以沒；强者到了若干時日以後，終於爆發，禍延子女，演出家庭悲劇，成了報紙上的社會新聞，不幸鬧到法院，打的也是『桃花官司』。

離婚乃大事也，可是說起來也眞奇怪，這種滔天大事，表面看起來，很少因大問題而起，多半由於小小齟齬，一言不合，就互相醜詆，各不相讓。本來同床共枕，哥哥妹妹，親愛的加蜜糖，一旦吵起架來，却好像兩個身上背着血海深仇的死敵，誰要先軟，誰就此生休矣。這種僵持，經常促成離婚後果，社會學家乃呼籲夫婦們能忍讓處便忍讓，不要因爲一口氣嚥不下，便作鳥獸之散。

這種三言兩語一吵，拍拍屁股就離的現象，解決之道，我想不會如社會學家說的那麼簡單，蓋爭吵是『果』，還有其促成鸞幹到底的『因』也，一向恩愛異常的夫婦，固也有吵得日月變色的，但不容易各自東西。必須是怨偶，一旦爆發，新仇舊恨，一齊湧上心頭，才傷心曰：『這樣拖下去不是辦法，不如趁着現在，一刀兩斷。』有此一念，遂如黃河決堤，不可收拾。

我們不敢說所有的怨偶都是當初摘麥穗摘得太急之故，但當初摘得太急，無疑是造成怨偶的原因之一。柏楊先生此言，初看跟一般有學問的人見解相似，有學問的人常勸青年男女要多多考察對方的人品如何？性格如何？愛的眞僞和程度如何？我老人家却認爲關鍵並不在此。前已言之，愛情並不依邏輯發展，當初一切都一百分，他求婚時甚至把手都剁掉，也不能保證若干年後不變心也。這並不是說求偶之初可以不必愼重，而是說，這不過只是急摘麥穗可能產生的現象之一，並非唯一的現象也。

不分三七二十一，見了麥穗就摘，固然也有瞎貓碰上死老鼠，感情非常之好的，但那得靠祖宗積德，如果貴閣下的祖宗沒有做過轟轟烈烈的好事，而只當過大官巨商，還是緩一點摘爲宜。大概五年前，臺北曾發生一件新聞，一個理髮師，其妻是某大學堂校花；我想一定有人尙能記得，當大陸撤退之際，兵慌馬亂，該校花困在福建長汀，舉目無親，眼看就要餓死，且共軍進迫，形勢危急，某排長焉，行伍出身，雖沒有受過什麼教育，却年輕英俊，校花乃求他携帶逃亡。男女之間的事很難說個明白，反正到了後來，她嫁了他，來臺後他退伍下來，以理髮爲業。嗚呼，柏楊先生所謂的急摘麥穗者，指此。該校花既嫁之則安之，一心一意過日子，可是該理髮師則不然，因其學識太差和自以爲地位太卑的緣故，面對嬌妻，如芒刺在背，唯恐她交上男友，把自己一脚踢掉。一個男人一旦有了這種念頭，全家都不能安。他不准她出屋門一步，不准她去看電影，不准她和女同學來往（怕女同學挑剔他），更不准和男同學來往，鄰居中年輕的、未婚的、有地位的、有錢的，也同樣不准來往，鬧得終於怨聲載道，上了報紙，後來經人勸解，和好如初。當時柏楊先生就預言他們將來還是非垮不可。眞是半仙之體，不幸而言中，有一天和中央日報婦女週刊的編輯女士談及，她曾和該女大學生有聯繫，告以他們果然離婚了之。嗚呼，當初倉促的搞，沒有考慮到雙方知識上的程度不同，和靈性上的境界不同，乃不得不有此下場。

天下最殘酷的事，莫過於一朶鮮花插到牛糞上，如果僅只旁觀者有此觀感，還沒有太大關係，一旦鮮花自己有此感覺，便成了一顆定時炸彈，糟透了頂。由上一例可以分析出非糟透了頂不可的原因，作妻子的，性格內向的哀怨，性格外向的憤怒，無論那一種都不好受。而作丈夫的，別人看他擁有如彼美艷嬌妻，簡直羡慕得要死，却不知他身上那股牛糞味，便是他自己嗅起來都不好受，其時時防變之心，自顧形慚之情，猶如疽癰在背，日子自然難過。

庸俗是致命傷

巧婦嫁了拙夫，眞是人間最大的不公平，人人見了都要跺脚，蓋深惜之也。像『斷腸詩詞』的作者朱淑貞女士，以一代才女，竟嫁了個不識之無的莊稼漢，死後她的丈夫把她的詩稿詞草，一把火燒掉，其愚如猪，雖把他碎屍萬段，不能消心頭之恨。跟那種男人同床共枕，簡直是奇耻大辱——我在這裏聲明，不是說『莊稼漢』便很低級，柏楊先生尚不至如此混蛋，去輕蔑任何一個正當行業；此地所指的莊稼漢，指的是那種僵化了的頑固品質，便是受過高等教育的人，有些照樣也是一堆牛糞也。

抗戰之前，我有一個朋友，在某中學堂當教習，和一女學生談起戀愛，女學生的家庭當然反對，她乃棄家棄學，跟老師私奔。此女之美，自用不着說，而她之慧，更無以復加。她最喜歡看小說，有時且也寫稿，房間之中，四壁皆書也，丈夫大概是學理工的或其他什麼的，對文學毫無興趣，屢次提出異議無效，有一天，趁她外出，竟把她寫的手稿，一把火燒掉。

這種舉動如果發生在柏楊夫人身上，頂多大吵大鬧打碎幾塊窗玻璃而已，想不到那位嬌妻一舉驚人，她回來一看如此，一語不發，檢點東西，拔腿而去，寄住在一親戚家中，努力用功，暑假後考進交通大學。朋友對她固一往情深，左打聽右打聽，好容易打聽出來，總算把她找到，涕泣悔過，而她不理也。拖到最後，他在校門口徘徊終日，見她偕同學出來，上前跪哭求恕，她昂然而過，仍不理也。該朋友悲悲悽悽前來向我請教，恭聆他的敍述後，想了半天，發現唯一解決之道是他買包巴拉松灌到自己肚裏。

急定終身，便有這種毛病，那位女學生乃了不起之輩，一經發現錯誤，立即回頭，局外人固可以說：把手稿燒了有啥嚴重，何至鬧得如此之大？這跟刑場觀衆的嘴一樣：『砍了頭有啥嚴重，何必淚流滿面？』婚姻之妙，便妙在此，所有的怨偶，其椎心痛苦，都不在大原則上，而在小節目上。當朱淑貞女士靈感泉湧，寫成一詩之時，其夫如放下鋤頭，磨鬢以觀，抱之一吻，讚美鼓勵，恐怕汗臭也會變成香的。我想那個蠢貨，準是倒頭便睡，看她挑燈苦思，還吼她不知省油也，如果竟有人認為這也可以忍耐，他照樣也是一個蠢貨。我的朋友焚稿之舉，說它不嚴重，當然不嚴重，柏楊夫人識字不多，也曾把柏楊先生寫的稿用來生爐子引火，並未出事。不過說它嚴重，便足可以破壞婚姻，因它顯示出來一個基本問題，那就是『俗』。蓋啥痛苦都能忍耐，連苦刑拷打都能忍耐，我曾看到拔犯人指甲者，嗚呼，那種酷刑，想起來都會發抖，而該强盜仍談笑風生。天下只有一種東西不能忍耐，那就是『俗』焉，故世有『俗不可耐』成語。我不知道讀者先生中有沒有俗氣沖天的朋友，有時候那股俗勁，能教人恨不得手執鋼刀，照他脖子上喀嚓一聲。

俗者，境界太低也。跟知識程度無關，再大的學問，該俗還是俗，我曾聽到兩個故事，都是女主角玉口親講的。一位是女作家，她的丈夫在某大學堂教書，教最時髦的理工，有科學腦筋，亦有科學聲譽，有一年八月十五，中秋之日，她要丈夫同至院中賞月，教習當然順從，可是心中却怎麼都想不通月有啥可賞的，女作家正對月遐思，她想如果丈夫能適時的輕擁其臂，閒話當年，呷一口香茗，說一聲我愛妳，該多麼詩情畫意；想不到坐了一會之後，丈夫猝然問曰：『嗨，妳看完了沒有？』好像月亮是一本小兒書，氣得她又哭又笑，恨恨而歸。

另一位也是女作家焉，丈夫榮任某公司董事長，有汽車洋房，而尤其有錢，某晚，他幸無酒家之約，在沙發上看報，斯時大雨傾盆，簷水如注，只一窗之隔，劃分爲兩個世界，往事如煙，感慨殊深；嬌妻情不自禁，吟李商隱詩曰：『君問歸期未有期，巴山夜雨漲秋池……』正吟着，猛抬頭見她老公頭如搗蒜，鼾聲如雷，早已夢周公啦；大怒之餘，用脚踢他的屁股，他驀的驚醒，以口吸涎，呼嚕作聲。她責之曰：『我正和你談話，你怎麼睡着啦？』丈夫急辯曰：『沒有睡，沒有睡，妳說的話我聽得淸淸楚楚。』妻恚曰：『那麼我剛才說了些啥？』丈夫搔首曰：『妳說要吃拔絲山藥！』嗚呼，這故事聽起來似乎還可以列入幽默小品，但當事人却肝腸都要斷盡。這還算好的，如果對方不但俗，而且暴，若『西靑散記』上雙卿女士的丈夫，動不動就揍一頓，那就更糟。

三心牌

一朵鮮花插到牛糞上，固然是一件始終要天下大亂的危機，一條臭魚端到筵席上，也同樣的總要鬧出名堂。唯一相異的是，漂亮的女人嫁給其蠢如猪，其心如狠的丈夫，她自怨自艾，粉淚頻彈，還有人同情，騷人墨客，或詠之以詩，或寫之以文，野心勃勃之士，則乘虛而入，以慰寂寞芳心。可是一個英俊能幹，心懷大志的男人，一旦娶了一個三心牌的妻子——見了噁心，想起傷心，談到痛心；把自己搞得壯志全消，生趣全無，却很少有人同情；不但很少有人同情，反而會有聖崽者出，責他好色焉，不安份焉，不正派焉，心猿意馬焉，簡直罪大惡極，一文不值。到了那個地步，眞是哭天不應，哭地不靈。

不知道是那一位有學問的人研究出來的，諸葛亮先生之所以有偉大的勳業，應歸功於其妻甚醜，蓋他的太太大概屬於三心牌之流，諸葛先生既然一看她就噁心，便不如索性不再看她，埋身於軍營相府中，夙夜匪懈，拚命爲公。同一道理，當初姒文命先生治水九年，三過家門而不入，大概他的太太也不太高明，假使她嬌艷如花，恐怕三更半夜都要溜回去一享溫存，說不定影響了公務，一直到今天，大陸仍泡在水底下。

這種有關諸葛先生的學說，有其教育意義，發明此學說的人顯然的在歌頌怨偶，並以之安撫一些倒楣朋友。那意思就是說：你不是對太太不滿意乎？沒有關係，太太乃身外之物，理她幹啥，只有榮華富貴，顯親揚名，才是眞的，才值得重視，不可因小失大也。

問題是，再强大的安撫，只能安撫其嘴，不能安撫其心。一個人如果根本是一根呆木頭，沒有感情，便不會有怨偶之事發生。如果有怨偶之事發生，那就證明他有感情，而有感情的人，教他們放棄榻上枕畔，和秀屋閨房的萬種風情，可能性不高。

清王朝之前，女人們如嫁了個不滿意的丈夫，大多數只好自嘆命薄。而男人們如遇到不滿意的妻子，却有補救之道，那就是娶個小老婆過癮。這辦法不知道是誰發明的，眞可得諾貝爾獎金。蓋古代只有出妻而無離婚，朱買臣太太明明把丈夫一腳踢，但她却不能和他離，而只能要他寫一『休書』，天下名實不符的事，有逾於此者乎？但正可看出男人們的威風。不過也幸虧有娶小老婆之道，如果沒有娶小老婆之道，女人們的遭遇將更悲慘，大爺有的是錢，今天娶一個，玩膩啦休之，明天再娶一個，玩膩啦再休之。在女人尚無社會地位，又不能獨立生活的時代，恐怕她寧願過吃醋的日子，不願過流落街頭棄婦的日子也。

男人既有補救之道，往往一開始就不懷好意，聖人云：『娶妻娶德，娶妾娶色。』嗚呼，你看這算盤打得多麼如意？柏楊先生對此法再贊成不過，蓋柏楊夫人『德』是沒有問題的，惟『色』則絕無，如果在從前世代，她敢阻我再娶一漂漂亮亮的小姣娘乎？現在眞是年頭大變，娶妻不僅娶其德，亦要娶其色焉，沒有德固然教人生氣，沒有色也教人生氣。古時男人因有補救之道，所以娶妻時可以馬馬虎虎，大我幾歲沒有關係，醜如鬼而蠢如猪，也沒有關係；蓋必要時可以把她冷藏，只要你有辦法，娶上三個五個花枝招展，平常之極。所以女人怨男人的多，男人怨女人的少。

現在則大大不然，男人一經結婚，尤其是在急摘麥穗的情形下，抓一個娶之，其命就定啦。女孩子在戀愛時，拚命自斂，望之若淑女然，若美女然，若有學問者然，若高貴不可攀者然。一旦同床共枕，原形畢露，當初看她杏臉含春，原來滿佈着痲子和雀斑；當初看她柳腰盈握，原來是鋼絲束的；當初看她齒若編貝，原來全是假牙，一天不洗都臭不可聞也；當初看她玉脚如削，原來滿是鷄眼，一步一痛；當初她終日沉默，你以爲嬌羞不勝，寡言必吉，原來她是個咬舌兼結巴；當初她侃侃而談，跨上單車，如飛而去，你以為她剛健婀娜，原來她是個十三點；當初她手拿洋文之書，滿口洋文發言，你以為她至少也是高中學堂畢業生，原來她只會那麼幾句，洋文書乃借來專門騙呆瓜的；當初她妙喉可歌，玉腿可舞，你以為她多才多藝，原來她學了三年，只學會了一歌一舞，等阿墨林上鈎時露那麼一露。如此這般，婚已結矣，生米已煮成熟飯矣，你怎麼辦吧。

這事如發生在十八世紀之前的漢唐盛世，前已言之，根本沒有問題，但如今可麻煩大啦。第一，你不能把她冷藏，她有她的社會關係和親戚朋友，七嘴八舌，她便想被冷藏，也冷藏不住，何況她死也不肯被冷藏乎？第二、你又不能再娶，即以柏楊夫人而論，她的道德修養，使人敬佩，我說啥都行，連吃大蒜都行，可是，只一談到再娶一漂亮小姐之事，立刻火山爆發；柏楊夫人尚且如此，其他一些差勁的太太，恐怕更要兇猛。何況我最近忽然聽說中國法律規定，重婚罪不是告訴乃論的，即令一男二女，大家全同意都不行，檢察官仍可提起公訴，這算啥法律耶？真要把有三心牌太太的男人，全都逼上梁山。

年頭兒眞是有點不對勁，在怨偶所顯示的問題上，古今就大大的不同。古時女人哀怨的多，像宮女們的哀怨，便天下皆知，用不着找哪個宮女當面問個淸楚，靠想像都可推斷出來，幾千幾萬個妙齡少女，守著一個當皇帝的臭男人，怎能不哀而怨之哉，幸虧她們是女人，哀怨一陣也就作罷，如果她們是男人，恐怕早暴動起來，把當皇帝的婆娘撕個稀爛。

除了宮怨，閨怨更是普遍，『悔教夫婿覓封侯』，少婦怨也；『商人重利輕離別』，主婦怨也；『上山採蘼蕪，下山遇故夫』，棄婦怨也；『夫婿輕薄兒，新人美如玉』，大婦怨也；『波瀾誓不起，妾心古井水』，寡婦怨也；『坐愁紅顏老』，老處女怨也；『打起黃鶯兒』，征婦怨也；『誰憐越女顏如玉』，賤女怨也；『苦恨年年壓金線』，貧女怨也。

看起來好像從前的女人無一不怨，封建制度及農業社會使然，然而從前那些致怨的原因，到如今差不多都風消雲散，妳只要努力，均有打破之途，不似當年那般絕望。首先是宮女行業已徹底取消，想怨也怨不起來；閨怨的情形固多，但其本質却跟從前不同，丈夫出征或經商，妻子可尾追前往，人情所許者也；離婚或守寡，馬上就拍拍屁股再嫁，而且和前夫見面，握手言歡若老朋友；至於貧賤之女，一旦選上中國小姐或是跟某大官大商的兒子戀上愛和結上婚，便有得汽車洋房矣；至於丈夫在外面胡搞，看起來不得了，實際上啥也沒啥，普通講起來，一個公敎人員，他連一個太太也養不起，何況多一個太太乎？何況法律人情似乎均站在女人這方面乎？丈夫把妻子揍一頓，一狀告到衙門，全國大譁，可是妻子揍了丈夫，却沒人打抱不平。

年頭大變的結果是，過去男人怨者少，甚至連一個怨的都沒有（有的話只是苦惱），可是今天便迥然不同，男人也同樣的會成爲怨偶中的主角，這是一個有趣的課題，古時男人頂多嫌其妻『悍』，而今男人不怨則已，一旦怨之，一半以上是嫌其妻『俗』，悍雖可懼，不悍時還有可愛的一面，唯俗難醫，嚴重者在此。

古時怕老婆的故事甚多，幾乎全是因爲臭男人存心不良，對妻不得不怕，怕中有敬，也多少有點抱歉。今日一旦娶了一個不滿意的太太，則問題不在怕，也不在懼，心頭升起的乃是一種難耐的感覺。『醒世姻緣』對此有一惟妙惟肖的形容，蓋不合適的婚姻，猶如用一把鈍刀割自己的脖子。眞是個中人言，恰恰搔到癢處。醒世姻緣上的男主角，他的太太不過僅是『悍』而已，已如此痛苦，現在的男主角，往往遇上的是一個更厲害的『俗』，那眞是如兩把鈍刀，同時俱下。

從邏輯上講，應該非常美滿的婚姻——便是請一百個入美國籍的科學家化驗分析，都找不出不美滿的理由，像徐志摩先生和他的前妻王女士，眞是天造地設的一對，兩個人都受過高等教育，門當戶對，又都有的是銀子，而男的英俊，女的美麗，簡直挑不出一點毛病，可是他們却硬是一對怨偶，終於決裂。世人多半責備徐志摩先生，說他莫名其妙，却忘了婚姻是否美滿，只有主觀自知，不能客觀分析，局外人絕對莫宰羊也。詩云：『寒天飲冰水，點滴在心頭！』有些人飲了冰水凍得直發抖，有些人說不定剛賽跑回來，飲了冰水舒服得不得了，有些人喝之會生病，有些人喝之則精神百倍，不能同日而語，一概而論。

柏楊先生有一位朋友，大學堂畢業，任職一家工廠經理，娶一漂亮的留美女學生，乃苦戀而成，這種婚姻，我敢賭一塊錢，它非美滿不可。却想不到沒有兩年，竟然告吹。蓋朋友每入閨房，便唉聲嘆氣，興趣索然，嬌妻百般慰之媚之，都沒有用。後來再娶一妻，亦一大學生也（那個該死的傢伙眞他媽的有福），婚後半年，他的故態復萌，嬌妻大怒，以手摑之，再以高跟鞋踢之，把他的尊腰幾乎都要踢斷，朋友却喜不自勝，視她爲天人，愛之喜之，敬之懼之，若奴隸然，原來他天生的有受虐狂，不挨揍便不舒服也。後來我曾問他曰：『兄台，你當初爲啥不直講，請她動手乎？』他答曰：『你懂個屁，這玩意非自動自發不可，一經請求，便治不了病。』嗚呼，那位第二任太太幸虧及時下手，遲則準又有婚變。

受虐狂當然是一個極端的例子，我不主張太太們一試，試不好更糟。但這故事可以說明一點：夫婦之間，一旦成了怨偶，一定有不合適之處，猶如一個人穿上新鞋，痛不痛只有他自己知道。他已痛得雙淚齊流啦，而你却在旁拍巴掌曰：『這鞋子眞好呀，樣子好，皮子好，穿到你脚上美觀大方，再高貴沒有，你喊哎喲幹啥？如果說這樣的鞋子還不滿意，非脫之不可，那未免太王八蛋。』我恐怕縱是再寫上一百本書，證明那鞋子是合適的，他也穿不下，寧可打光脚板。

語云：『求忠臣於孝子之門』，一個人連其生身父母都不愛，都不知報恩，還能愛他的國家，還能愛他的朋友乎？父母養之育之，抱之負之，辛辛苦苦，從孩提照顧到成長，他說叛變就叛變，國家對他的義，朋友對他的情，更算老幾？可惜一個人一旦當了大官，父母多亡，每逢母親節或父親節，他命令秘書代作一文，悲戚之至，好像他眞是一個孝子一樣，說不定老人家若眞活下去，他會把他們丟到野地裏餵狼。

吾友周棄子先生則另有理論，他曰：『一個人對婚姻不滿意，打架吵架，鬧得天翻地覆，離之棄之，鬧得身敗名裂，這種人具有極端性格，可爲國而死，可寄妻託子。如果一個人對婚姻不滿意，竟把太太弄得團團轉，威嚇以鎭之，巧言以騙之，耍花招以欺之，而自己在外邊大搞特搞。到發表言論之時，却又道貌岸然，成了正人君子。這些人性格上專幹對自己有利的事，喜妥協而懼艱難，當漢奸的，當叛徒的，皆這一類人也。』詩人論調，聽起來嚇人一跳，然仔細一想，再和現實對照一下，從叛徒身上搜集一些資料，可知詩人眞是有點學問。

男人對付不滿意的婚姻，有一個明顯的特徵，那就是雲遊四方。一個男人，如果天天早上離家，一直在外面跑到深夜不歸，除非他是政治家，或其他的職業，如計程車司機等等，非跑不可；否則，其家庭多少有點問題。蓋男人對付三心牌太太，只此一途，以便眼不見則心不煩，等到深更半夜回家，其累如牛，躺到床上便睡，關燈之後的枕畔人，比較容易將就。在這裏，柏楊先生隆重告誡做妻子的，假如妳的丈夫有雲遊四方的毛病，宜立刻提高警覺，但千萬不要去和他又打又鬧，而是應檢討檢討自己。

家庭離散，婚姻破裂，差不多都由雲遊四方開其端，開端之後，做太太的再不恍然大悟，想辦法把他拉回來，其結果準慘。男人在這上和女人不同，女人總是先有外援，才謀拆夥，如無外援，多半自忍自受。男人則不然，有外援固然搞得一團糟，無外援亦然。開始不願回家之時，只是對妻子的一種無言的反抗，在外亂跑，並不舒服也，可是等到跑成了習慣，便無所謂啦；等到有另外的女人乘虛而入，他就昏了頭；等到那女人給他一種他妻子從未給過他的溫存，而且硬要嫁他，恐怕他就非提出離婚不可。

社會是一個戰場，家庭則是一個堡壘。一個男人每天都要走出堡壘，和社會作戰，受打擊，受折磨，受羞辱，以及受種種痛苦，回到自己的巢穴之中，伏地喘息，伸舌舐創，以便明天繼續再鬥。如果這堡壘巢穴是溫暖的，誰不願回去乎？而有些男人竟不回去，其中的道理便太大。我有一個朋友，家住臺北郊區鄉間，距火車站尚有里許，均為泥濘小徑，他也是屬於雲遊四方之類，有一天，同赴宴會，飯後他非拉我去茶館下棋不可，下了幾局，濃雲密佈，我勸他回家，他曰：『早得很哩！』不久大雨傾盆，一直下到十一點才算完結，我送他去車站搭最末一班車，他手擎雨傘，面色沉重。等到車開之後，我不禁想到，把丈夫逼到如此地步，妻子能辭其責乎？

丈夫對妻子不滿，常由於小的節目。而婚姻成敗，也常決定在這些小的節目上。又有一位朋友，常跟他的太太吵架，四鄰爲之不安，他的對策也是雲遊四方，有一次竟雲遊了四天之久，太太哭哭啼啼到處訴苦——說她自己如何如何的好，丈夫如何如何的壞，其意在爭取朋友對她的同情，以幫她助她。却沒有想到，這一下子等於公開宣戰，丈夫聽了之後，回去把她狠狠的揍了一頓，再出去雲遊不誤，而且揚言非離婚不可，經親友一再勸解，並詢問他到底跟太太有啥不合之處，他說了一大堆，最後等沒人之時，我曰：『你別瞎扯，要說老實話。』原來是這麼一回事，自結婚以來，他太太穿玻璃絲襪，沒有一次穿整齊的，亦沒有一次線條筆直的，而他煩的就是這個也。我以爲簡單之極，親自出馬，找他太太談判，不料那位太太突的跳起來，吼曰：『咦，他嫌我穿襪子穿得不好看丟他的人呀？他叫我穿得漂亮，給我錢買呀，我難道不會穿呀，他挑剔到襪子上來啦，哼！』

嗚呼，幸虧我不是她的丈夫，如果我是她的丈夫，我不僅要被哼得雲遊四方，恐怕至少三十年才回一次家，蓋她的那股哼勁，難以消受。

危險信號

吾友愛因斯坦先生曾發明了相對論，一時震驚世界，據說內容甚爲深奧，地球上只有九個人懂得，柏楊先生似乎不在該九個可敬的人物之列。不過有一點却是有點心得的，人跟人之間，你如果對某人的印象至爲惡劣，用不着去打聽，某人對你的印象也好不到那裏去。這定律用到家庭和夫婦關係上，雖不見得一定十分準確，但婚姻的破裂，夫婦雙方的責任，固往往是相對的也。在外表上，有丈夫非離婚不可的焉，有妻子非離婚不可的焉，看起來好像一方先變了心，和先狠了心，對方眞是可憐兮兮。但使其先變了心和先狠了心的，又是誰乎？有人言曰：是某野男人焉，是某爛女人焉，然則使其愛上野男人爛女人的，又是誰乎？

朱買臣太太非跟朱買臣先生離婚不可，她唯一不可原諒之處是她又回頭找他。至於她堅決求去之舉，一點都沒有錯。我雖然不認識朱買臣先生，可是此公不事生產，置妻兒的生活於不顧，又自信可當大官，那股酸勁，實在難以承當，怎能怪他太太？斷腸詩詞的作者朱淑貞女士有生查子曰：『去年元夜時，花市燈如畫。月上柳梢頭，人約黃昏後。今年元夜時，月與燈如舊。不見去年人，淚濕春衫袖。』記偷情之歡也，一個可愛的女人竟去偷情，聖崽心裏自然彆扭，就硬說這詞不是她作的，而是歐陽修先生作的，蓋男人亂七八糟，仍可受萬人崇敬，女人便不行啦。這種論調眞使朱女士蒙羞，以她那個集愚魯俗蠢之大成的丈夫，她之偷情，不但可諒，其勇氣且可敬焉。却沒有一個人責備她丈夫混蛋，不但太不公平，亦未觸及到婚姻問題核心，她的丈夫如果稍有一點靈性，她不至於豁了上去。

據說日本女子出嫁時，老母一定授以房中之術，包括侍奉丈夫之道。摩登一點的說，也就是駕馭丈夫之道。是不是眞有其事，我不知也，但我覺得這一着實有其必要，現在女孩子往往有一種錯覺，認爲既已嫁了人啦，生了兒，育了女，成了老太婆啦，一切都可任性而行，結果逼出來窩裏反。柏楊先生說這些話，不是鼓勵做妻子的要把丈夫當作活寶一樣供養，而是，無論妳想改造他也好，安撫他也好，抓住他也好，必須先使他快樂，如果他如坐針氈，就非雲遊四方不可。

在某一種情形下，再親愛的夫婦似乎都應該像仇敵一樣相待——注意，不是說要捉而殺之，而是說要先求了解，再求征服。有些學問甚大的太太們傲然曰：『我死也不將就他。』抱着這種態度的女人，我想死倒不會的，但她的婚姻生活，談起來準鼻涕一把淚一把，蓋昏庸蠻强，一定有痛苦作爲報酬。

愛情不但使人傻，也使人瘋，一對天南地北的男女，忽然間同床共枕，要百年好合，這種制度不知道是誰搞出來的，眞是危險萬狀。雙方必須小心翼翼，以求習慣相適，性格相適。丈夫使妻子痛苦，漂亮的妻子則開溜，平庸的妻子則流淚，妻子使丈夫痛苦，則再窩囊的男人都會變得天天在外面亂跑，另覓寄託和另覓溫存。

實際上男人比女人好擺佈，女人們如果肯用點腦筋，摸清楚臭男人那股勁，就能把他捉個結實。我有一個朋友，名雕刻家焉，其前妻美麗非凡，得過哲學碩士學位，治家則井井有條，社交則雍容華貴，我有她那樣之妻，雖死無恨。（有一次談此話時，被柏楊夫人聽見，大大的跳了一陣高。）可是他們終於仳離。而第二任太太，我雖不知其底細，看樣子實在並不高級，既不會理家，又不會帶孩子，把屋子弄得一塌糊塗，但其夫婦間感情却篤得要命。雖百思也不得其解，這簡直不但沒有了邏輯，也沒有了人之常情也。然而後來我終於發現奧秘，第二任太太對她丈夫，有她的一套。丈夫雕刻時，她常常沐浴更衣，洒上香水，穿上睡袍，歪到沙發之上，使長髮垂地，而她口啣香煙，斜眼以望，不時叫曰：『那一刀好極啦，對啦，往下再來一點呀，怎麼，不能描！哎喲，妙哉妙哉，這個人像栩栩如生，教人看了連汗毛都舒服。』

該男人就是喜歡這個調調兒，做妻子的能欣賞他的優點，他便愛若至寶，一天打他兩個耳光都幹；如果不能欣賞他的優點，則教他一天打她兩個耳光，他都不幹。太太們似不可不研究研究，以便裁奪。

一個男人一旦雲遊四方，那便是危險的信號，做妻子的必須自我檢討，否則就要雲遊到底。

談起來自我檢討，乃是第一流學問，時代風行的自我檢討，往往是：『我太好啦，對方太壞啦。』故做妻子的檢討起來，似乎應特別壓壓這種時代的氣質，否則，越想越氣，越分析越找不到毛病何在，自己先用手把大瘡掩住，然後專在對方身上找雀斑，其結果不卜可知。做丈夫的不僅雲遊四方而已，如果對她竟然沒有一腳踢，那便算她祖宗有德。

柏楊先生因為年高德劭，為萬衆所信服之故，經常被年輕人邀去調解他們的家庭糾紛，遇到奇形怪狀之事甚多，更深感自我檢討的重要。有一位朋友向不在家吃飯，試想一想，一個家庭中，一日三餐，丈夫兼父親都不在家，那算個啥？蓋丈夫是南方人，只喜吃米，對麵不能下嚥，而嬌妻爲北方人，却非麵不飽。戀愛之時，初婚之際，男的發誓隨妻吃一輩子麵，女的發誓隨夫吃一輩子米，天下還有比吃麵吃米更小的事乎？於是，到了後來，太太的拿手好戲出籠：饅頭焉，包子焉，花捲焉，大餅焉，火燒焉，大滷麵焉，肉絲麵焉，蹄花麵焉，蒜泥麵焉，（敎南方人吃大蒜，簡直等於要他的命。）鱔魚麵焉，猪肝麵焉；每到月終，家庭經濟周轉不靈，則天天陽春麵焉，把丈夫吃得面無人色。最初爲了愛情，還勉强往肚裏硬塞，後來實在受不了，乃進入『見飯愁』階段，開始雲遊四方，去小館吃他的南方口味矣。我就勸該嬌妻注意丈夫飲食，一個做太太的如果使丈夫見飯便愁，非閨房之福也。想不到我的話剛剛出口，該嬌妻立刻委屈萬狀的哀號曰：『他還不知足呀？我爲他什麼都犧牲啦，大學一畢業就嫁給他，美國獎學金辦好了都沒有去，一天福都沒有享過，蓬頭垢面的給他做家事，他還挑這個挑那個；寥寥無幾的菜錢，叫我買啥呀？（說到此處，爲了增加效果，一把鼻涕就抹到我的新長衫上。）吃麵？是爲了省錢呀，省下來的不都是他的乎？上一次吃「貓耳朶」，是我學了一個多月才學會的，結果你猜怎麼，高高興興的給他端上，他連看都不看，站起來就走。你老人家評評理，這算什麼態度？我不是他買來的奴隸！何況吃麵能使身體好，又節省外滙，何況我也不堅持非吃麵不可，去年五月端午，我還特地的給他做了一頓米飯，結果他又挑剔說飯糊啦，菜焦啦。他有錢叫他請大師傅，再不然叫他娶一個吃米的太

太。』

她侃侃的鬧了半天，我發現她已病入膏肓，不可救藥，這樣的自我檢討，還不如不自我檢討，當時便決心不吭一聲。她以爲已把我說服，連我這樣有學問的人都認爲她對，何況她的丈夫乎，則她丈夫之無理取鬧明矣。

人生在世，四大需要，食居第一，各人的口味從小養成，十年二十年吃將下來，習慣牢不可破，在這方面，丈夫改造妻子固然困難，妻子改造丈夫也不可能，唯一調和之法，只有自我克制，先由己身讓步，再換取對方的讓步。若大家都各趨極端，除了拚個你死我活外，還有啥可說。

無論是多麼偉大的女人，即令貌如天仙，男人一見就魂銷魄散；即令學問奇大，會發明什麼什麼彈；即令名望權勢再高，咳嗽一聲就有人送命。但在目前這個社會結構的家庭之中，却必須注意丈夫的地位，不服這股勁，恐怕不行。固應每日三省吾身。一曰：丈夫吃飯時，吃得香乎？二曰，丈夫看我發嗲時，有笑容乎？三曰，我發脾氣時，他心疼心焦乎？思有所得，急起修正，包管他跳不出妳的手心。

有女士或曰：你把我當成啥？叫我像下女一樣侍奉他哉？如果妳有此偉大想法，那麼，妳就不必三思，繼續和他硬碰硬可也。

妻子無不希望她的丈夫具備『三子』之件。曰：其高貴富有若王子焉；給她買東西時若敗子焉；做起家事如洗碗洗衣洗地板之類若奴子焉。丈夫亦無不希望他的妻子具備『三婦』之件。曰：社會交際若貴婦焉；在家裏幹活若僕婦焉；閨房之內，若蕩婦焉。當然也有呆木頭之人不是如此想法，或者聖崽者流，心裡雖然是如此想法，表面上却假裝不是如此想法。我們對之均不具論，蓋我們論的只是人情之常，對上智和下愚，無可奈何。

這種要求，看起來好像胡說八道，仔細一想，恐怕十分合情合理，我想沒有一個女人不願她的丈夫屬於三子之列，跟她上街蹓躂也好，看電影、看白雪溜冰團也好，共同出席集會宴會也好，丈夫氣質高貴，動作大方，應對中節，爲萬人所矚目，一一前來致敬，妳說這種快樂尚可支乎？一旦妻子要購買洋房一棟，（有時二棟，一棟在市區交朋友，一棟在郊區防空襲而兼避壽）汽車一輛，珠寶若干，衣服若干，丈夫統統照買不誤，而且買時連眉都不皺，不但有此錢，更有此量；閒來偶想去美國觀光，飛機票已訂下矣，打牌時輸了新台幣三千六百萬零五十元，銀行本票已送到桌上矣。然而該丈夫却馴順如羊，毫無驕態傲氣，更不拈花惹草，回到家中，啥活都幹，沒有一句怨言。嗚呼，有夫如此，眞是心滿意足，意足心滿。

同樣心理，哪個男人不希望自己的妻子端莊美麗，若英國女王，若什麼伯爵夫人乎？或攜手上街，或並肩參加什麼會，或接待親友賓朋，雍容華貴，艷光照人，談吐高雅，玉齒生香，丈夫侍衞在側，如坐雲霧。可是奇妙之處，還不止此，她一旦回到家中，脫去出門袍，着她家中裳，擦地板，洗被子，煮飯菜焉，給丈夫脫鞋、脫襪、打洗臉水、洗脚水焉，背着孩子打掃厠所焉；快快樂樂，從無怨言。丈夫下班回來，往沙發上一仰，嬌妻蹲下爲之洗脚，他手執當天晚報，看看女人大腿照片，品着香茗，心曠神怡，問曰：『今天啥菜？』嬌妻答曰：『一盤番茄炒蛋。』大怒曰：『一盤夠誰吃的？』嬌妻答：『是你一個人吃，我嚥白飯就行啦。』然後怯怯問：『今天跟你一道看電影的那個女人是誰？』丈夫喝曰：『妳管啥？』嬌妻緊張曰：『我只是問問，不要生氣呀。』咦，一個丈夫如能混到這種地步，雖南面王不易也。可是，雖然如此，一旦等到閨房獨處，該在外雍容華貴的女王，在家只吃白飯的僕婦，跟丈夫談起情說起愛，却嗲得要人老命，把迷魂湯一勺一勺往丈夫嘴裏猛灌，其中動作，用不着形容矣。

事實上天下沒有這種理想的丈夫，也沒有這種理想的妻子。這種男女，屬於夢幻人物，如果去找，八千年都找不到。但有一點却可從這種盼望獲得了解，那就是說，夫婦間是不是和睦，是不是怨偶，是不是親愛如蜜，『三子』『三婦』，是一個標準，在這標準上考察，雖不中不遠矣。蓋丈夫越是接近三子，太太越是接近三婦，他們的感情越篤；丈夫距三子的條件越遠，或是太太距三婦的條件越遠，他們的感情也就越疏。這是柏楊先生集七十年人生經驗發明出來的定律，免費提供，誠仁人君子之舉，中國同胞不妨一試，便知這藥方靈不靈也。

當一個人，本來已不容易，從牙牙學語，便開始要滿足別人的慾望，父教之呼爸，母教之呼母，如硬不開口，準要挨揍。搖搖學步之時，父不准其動電扇，母不准其動火爐，如果動之，準又挨揍。長大了之後，事情就更麻煩，女孩子為了交男友，寧冒着擰斷脚踝的危險，也要穿高跟鞋。男孩子更是醜態畢露，對鬍子不但剃之，而且拔之，而且穿上領口硬如鋼鋸般的襯衫。嗚呼，滿足別人慾望既是不可避免的，則一個丈夫就應該努力去滿足自己的妻子，而做妻子的亦然。有些人對社會碰一下都不敢，偶爾穿了件背心，在辦公室都不敢脫去港衫，懼人批評之也；可是對他的太太，卻蠻橫之至，她三年才買一雙襪子，就咆哮如雷；怕硬欺弱，典型的懦夫，這種人的家庭如果幸福，眞沒天理。

消毒作用

愛情是不按邏輯發展的，所以必須時時注意它的變化。愛情更不是永恒的，所以必須不斷的追求。有一位洋詩人，惜忘其名，年已七十，理髮時總是吩咐理髮師把頭髮留長一點，還要向左稍偏，理髮師曰：『這種髮式已不流行啦。』詩人曰：『我當初戀愛時，太太最喜歡這樣。』理髮師曰：『你已經結婚四十年啦。』詩人曰：『可是我還在追求我的太太呀。』嗚呼，做這位詩人的妻子，其福氣可是上衝霄漢。

洋人諺曰：結婚是戀愛的墳墓。在詩人之事上可看出固不見得，有些人害怕墳墓，一輩子不結婚，那乃是治標之法，根本問題是他用啥觀念啥心情去處理他的婚姻。從前有一位老處女，千方百計搞到一個丈夫，新婚第二天，丈夫在床上推她，請她弄杯咖啡，她恚曰：『我嫁丈夫爲的是要丈夫照顧我。』這則故事是在一本洋大人書上看見的，作者加按語曰：『那個做丈夫的如果不跳出房間，砰的一聲把門關上才怪。』該丈夫是不是反應得如此乾淨俐落，我們不便推測，但有一點是可以推測的，她的婚姻非成爲墳墓不可。

一個男人雖不可能若王子若敗子，但他應有使自己太太溫飽安適的義務，關於此，我們可再借『虛榮』加以闡明，一個做丈夫的如果沒有錢，不能使妻子兒女吃得飽，穿得暖，或不能使妻子住得安適，不能使兒女接受相當教育，乃是做丈夫的恥辱。孔丘先生曾大大的歌頌顏回先生，我却覺得顏回先生一定有點毛病，從他老師對他讚美的幾句話上，可看出他甘受迫害和甘對權貴屈服的氣質，窮成那種樣子，竟然違反人性，自以爲還很快樂，做那種人的妻子兒女，眞是苦也。一個丈夫如果無力養家，衣不蔽體的妻子偶爾向他要一件新衣，他就像發了狂犬病似的，狺狺而吠曰：『我爲了這個家連命都拚進去啦，簡直成了一個無底洞，要不是看你們無依無靠，我早就走啦。』簡直是無恥之尤。

柏楊先生記得四年前的一件事，中秋節之日，去鄉下看一位老友，一進他的家門，就覺氣氛有異，一個大約三十多歲的年輕人，正向敝老友吼曰：『錢！錢！錢！你就知道錢！』而敝老友的幼女則臥在母親房中。泣不成聲，原來二人相戀，老頭將年輕人喚來，詢問他的經濟情況，該年輕人在某衙門做事，月薪九百元，老頭嫌其太少，要他等到每月一千五百元時才可結婚，該年輕人乃有此吼。我當時便加入火網，斥之曰：『你這個小子，且聽我言，九百元之數，租個六蓆房子，去四百元矣；兩個人的伙食，又去四百元矣；剩下的一百元，買牙膏焉，買牙刷焉，買襪子焉，買肥皂焉，坐公共汽車焉，（該年輕人上下班，一天兩次，一個月六十元出了籠。）萬一你得了盲腸之炎，誰給你開刀乎？萬一太太懷了孕，你用啥錢送她住醫院乎？固然你可以借，但有借便有還，你用啥還乎？固然你可起會，但你一月只剩下一元兩元，還起啥會乎？萬一生了孩子，你有錢買一隻鷄乎？小孩子的衣服尿布又哪裏來乎？你的皮鞋已破，又用什麼錢再買一雙？我這麼一位如花似玉的侄女嫁給你，天天洗衣煮飯，手也粗啦，人也老啦，你不是愛她，而是糟蹋她。不自己責備自己，反而罵人愛錢。狼心狗肺，莫此爲甚，他媽的，滾。』

我這一番言論，不是專拆窮人的台，更不是做有錢人的幫兇，而只是提醒一點，貧窮是恥辱，即令找上一大堆亂七八糟的證據，證明貧窮不是恥辱，但也絕不能算是光榮。這裏再借用一個故事，有人曰：上等人怕太太，中等人敬太太，下等人打太太。我們可套之曰：上等人貧窮時愧對太太，中等人貧窮時痲痲木木的待太太，下等人貧窮時窮氣橫生，怒氣衝天的罵太太。上面那個例子中的年輕人，恐怕應屬於下等人之列，對自己的貧窮毫無愧意，而且別人一說到錢，踩到他的痛脚，他就喊叫。後來因爲愛情是偉大的緣故，他和老友的幼女仍是結了婚。四年之內，生下兩個娃兒，眞是到了大的哭，小的叫，旣缺米，又無衣的悲慘之境。女的衣冠不整，不復當年丰姿；男的火氣一天比一天大，動輒駡人，整天打打鬧鬧，兩人全毀，眞是何苦來哉。有一次他來向我借錢，（我乃他妻子的父執，轉彎抹角到如此程度，可見其已羅掘盡矣。）我效其當年口吻，吼之曰：『錢！錢！錢！你就知道錢！』彼搖頭苦笑，無以應也。

經濟學上把人類的生活分級若干，有安適的生活焉，有奢侈的生活焉，一個做妻子的如果要求過奢侈的日子，那當然荒唐；但一個做妻子的如果僅要求過安適的日子，丈夫都辦不到，甚至義正詞嚴的斥她『虛榮』，斥她『錢錢錢』，那就混蛋加三級。

當一個男人，如果生在古代，眞是享盡人間艷福，不要說漢唐盛世，就是到了淸王朝末年，餘威仍在，對家事可以毫不關心。聖人不云乎，『男主外，女主內』，說起來二一添作五，男女平等。實際上『外』的範圍太大，『內』的範圍太小，且繁雜瑣碎，焦頭爛額。蓋家事者，其特質有二，一曰永遠做不完，二曰辛苦而不見功，故男人所不屑爲。

柏楊先生年輕時，曾秀才及第，戴花而歸，那時雖然尚是一毛頭小伙，却從不知廚房的門是方是圓，不要說我躬親做飯做菜、洗衣洗褲，便是掃掃院子，都被視爲離經叛道。我這個人對提倡民主，一向不遺餘力，有一次從外回家，滿頭大汗，自己舀了一盆冷水洗臉，立刻被長嫂痛責曰：『爲啥不叫你媳婦舀？』我曰：『我看她很累。』長嫂嘆曰：『你怎麼沒有一點男人的尊嚴。』提到『尊嚴』二字，心中大樂，蓋從此有了理論根據。而柏楊夫人彼時才二十餘歲，雌威尚未養成，我就神氣起來，着實享了一陣子清福。

惜哉，年頭兒不對，一到了民國，便亂七八糟，內外之防盡撤，女人不但不做家事，反而到社會上亂跑，她賺的錢，有時比男人賺的還多，（嗚呼，若在清代，一個女人能賺錢，她是幹啥的，便用不着問。）臭男人既沒有了錢，經濟大權旁落，便不能再充大爺。柏楊先生以垂暮之年，不但自己打水洗臉，還要掃地、掃天花板、擦榻榻米、洗被、煮飯、燒菜、掏廁所，抱着孫女咕哩咕噥哄她閣下睡覺。老妻在工廠打雜，下班之後，坐在沙發上哎喲哎喲喊背疼，還要趨前捶之，男人的威風徹底崩潰；據我觀察，再想恢復當年，不可得矣。

這趨勢是一種潮流，小家庭制度使然，誰都對抗不了也。然而仍有些人硬不服氣，暗礁叢生，怨偶乃成，家庭遂隨時可以完蛋，夫妻也隨時可以散夥。去年報載，美國一個做妻子的，告她的丈夫回家之後，啥事都不肯做，要求離婚，法官一鞫定讞，准她之請。在判決時，法官告訴被告曰：『我認爲丈夫幫助妻子做家事，乃是民主生活的一部份，本席在家就是這麼幹的。』

嗚呼，貴閣下可知道一個人何時架子最足，僚氣最高，自以爲偉大不掉乎？一旦坐上他的辦公座位，就跟黃帝坐上龍墩一樣，開始發暈，就在那張辦公桌上，他有權焉，就在那張辦公桌前，有聽他訓話的小職員焉。於是乎，上帝是老大，他是老二。這種自我膨脹本來已臭而不可聞也，如果一旦成了習慣，帶到家裏，那股煤烟恐怕非把妻子兒女薰死不可。洋法官又判決了一宗離婚案，丈夫在海軍當過艦長，官癮奇大，退休下來，以家作艦，其妻非經批准，不得入房，其子非喊報告，不得行動，結果離婚之後，他閣下一個人守着一棟空屋，對着牆壁發號施令，成了神經大王。

做家事對一個男人來講，有一種消毒作用，使他在辦公桌上培養了一天的偉大情緒，得到洗滌。否則一天天累積下來，用不了幾年，他就自以爲上帝是老二，他就是老大啦。從前有一個衙役，伺候老爺坐堂，老爺莊嚴隆重如木偶；伺候老爺赴紳士宴會，老爺不苟言笑如殭屍；伺候老爺巡城，老爺點頭緩步又如蛆蟲。衙役指天發誓，他寧願當一輩子衙役，不願當老爺也。問其何故，不肯言明，終於有一天，奉命打掃後花園，看見老爺赤膊澆花，又哼小調，和太太小姐有說有笑，始大驚曰：『原來當官的也有人味呀！』蓋官性强者，其人性必差，而人性唯有在家庭中才易養成。

做太太的忙了一天，丈夫歸來，也插手進去，搬椅子，抹桌子，抱娃子，妻子心中是一種滋味。如果回家之後，橫眉怒目，好像他賺得那一點點可憐的錢，就勞苦功高，兒子撲到他身上喊爸爸，他嫌他髒，推而避之。女兒在床上啼哭不止，他嫌她吵，吼以止之。其狀若一個綁赴法場途中的死囚，沒有他大家便唱不成這一齣戲似的。這跟沒有錢養妻子而硬斥妻子『虛榮』的心理一樣，他如果不把他的家搞得陰風慘慘，我輸你一塊錢。

夫妻間必須互相以對方為榮，那婚姻才算穩固。丈夫如果覺得他的妻子見不得人，事情便糟；而做妻子的，一旦認為她的丈夫配不上她，結局也準有花樣可看的。妻子必須努力的去滿足丈夫，丈夫亦必須努力的去滿足妻子才對也。

妻子希望丈夫是個啥，丈夫就應該是個啥，便是硬着頭皮都得充殼子。有一位女作家，柏楊先生老友，五年前離婚。有一次我問她為啥要離，她曰：『我看不起他！』要她舉例說明，原來有那麼一次，夜半遇盜，有兩個彪形大漢，蒙面持械，破門而入，等他們發覺時，已站到床前矣，一番江湖上的話表過，女作家霍然起坐，侃侃聲明他們甚窮，一面說話，一面把手上祖母贈給她的那個貴重鑽戒，在被中悄悄脫下藏起來，想不到那位叱咤風雲的丈夫早已抖成一團，把床都抖得吱吱作響，大概平常表演忠貞慣啦，一時勁頭上衝，竟把那鑽戒摸到手，捧獻給彪形大漢曰：『你們拿去，請快走吧。』彪形大漢當然不會快走，結果搶了個空空如也。過了三個月，全案破獲，治安單位通知前去辨識强盜面目，丈夫彼時正在訓話，勉勵他的部下遇事鎭靜。得訊竟不敢往，蓋懼强盜萬一不死，向他報復。其妻强之而後可，面對彪形大漢，一時也難確定，可是其中之一向女作家曰：『這位太太當時還罵我哩。』復向該丈夫曰：『膿包，膿包，原來他就是鼎鼎大名的什麼長呀。』該丈夫不知從那裏來的勇氣，大概看對方的雙手被反扣在背後，沒有抵抗力吧，勃然大怒，上去便是一個耳光，彪形大漢就順便在他尊貴的小腹上回敬一脚，把他踢得蹲到地上哎喲了半天，哄堂大笑。

這不過是一個例子，然而這種事件一多，做妻子的再難尊重他矣。千古道理一也，做丈夫的眞是得用點方法以滿足妻子的榮譽感。她同學的丈夫裏，大學堂畢業生甚多，你如果只讀過初中，便應該去努力補習，雖不一定也非大學堂畢業不可，但見識與談吐，總應有大學堂的程度，假若自己仍有那種古老的觀念，認爲妻子『嫁鷄隨鷄，嫁狗隨狗』，那就下不了台。沒有上進心是愛情的大敵，無論在氣質上、學識上、膽量上、見識上，和境界上，都應使自己的妻子在提到你時臉上感到光彩，一個男人如果專門幹些使妻子黯然失色的勾當，就太抱歉啦。

反轉過來，丈夫如果希望妻子是個啥，妻子也應該努力是個啥，拚老命也得同樣的去充殼子。有一點乃宇宙間第一重要的眞理，太太小姐不可不知，那就是男人無不願自己的太太貌如天仙。洋大人對這方面比較坦白，前年美國家庭協進會曾舉辦一項婚姻測驗，問他們理想的妻子如何？那些受調查的洋男人認爲妻子必須漂亮的佔百分之九十八，只百分之二認爲差不多就可。美貌是第一，其次才是學識、才幹、做家事，和品德。這就跟中國人有點不一樣，我們因有五千年傳統文化之故，講仁義而說道德，聖崽特別的多，誰敢說他娶妻只要漂亮便可，準被人斥之爲色狼。其實，愛美乃是人類天性，孟軻先生當年便曾嘆曰：『未見好德如好色者也。』嗟夫，好色乃是本能，就是孟軻先生，兩個女孩子條件相等，一個美如天仙，一個醜如柏老家後院的癩皮狗，他娶那個乎？如果他竟娶了那個醜的，其心不可測也，那種朋友以不交爲宜。

中國人擇妻，傳統上『德』字爲首，古時因有『妾』的『色』可以彌補，妻子長得差勁，無啥關係，而今則妻妾合而爲一，容貌的重要似乎超過品德。蓋一個人的色一下子就看得出，一個人的德則需要慢慢品味。況且現在社會型態大異，德的標準，跟從前不同，觀念也有改變，再好的品德，假使她二十歲便死了丈夫，恐怕也守不了節。再壞的品德，假使她受過高等教育，沒有不良嗜好，收入尚豐，地位甚高，也不見得會隨便找個瘪三通姦。

問題在於中國人從不敢明目張膽的强調美麗，你如果不信，不妨找一個光棍朋友問問，他的條件如何哉？他準不說要個漂亮的妻子，談了半天，轉彎抹角，仍口緊如瓶，但其心固然亂跳矣。尤其妙的是，一旦他坦率的說他的妻子一定非漂亮不可，你能不笑他十三點乎？是以中國的家庭問題和婚姻問題，總是有一個結打在中間。

一個女人必須了解和緊記，男人——只要他是人而且是男人（禽獸則不然），無論老幼，他都愛漂亮的女人。前天中國小姐候選人在台北賓館亮相，柏楊先生也前往一觀；眞是佳麗紛集，美女如雲，看得我口乾舌渴；老妻見狀，照我尊頭上就是一記，方如夢初醒。但我發現四周的那些男人——有年高德劭的男人焉，有正人君子的男人焉，有譽滿天下的男人焉，有經常訓話的男人焉，有經常寫文章代聖人立言的男人焉，有大學中學以及小學堂的校長教習焉，一個個眼如銅鈴，涎水下垂，偶爾被人推了一下，猛的將涎水吸回，嗞嗞有聲。可謂原形全現的盛典，美的吸引力可忽視乎哉？

愛情是相對的

一個男人希望有一個漂亮的妻子，一個女人希望有一個英俊的丈夫，此出於人類天性，沒啥可責備，也沒啥不對勁。從前王衍先生，口不言錢，稱之爲『阿堵物』，像是天下第一等清廉之官，實際上見了錢便如癡如狂，史書上雖沒有載他如癡如狂之狀，但他原來窮得不得了，老爹翹辮子時，借了一屁股債，連安葬的費用都沒有，大家看他頗有點前途，除了厚厚的送禮之外，還『所借貸因以捨之』。果然王衍先生不久就闊了起來，歷任各種大官，貪贓枉法，無所不爲，他的老婆竟能把錢堆滿了床的四周，嗚呼，那要多少錢吧。

我們無意研究王衍先生的歷史，但可看出一種現象，凡是嘴巴奇硬，避免不談的東西，往往是寤寐思之，輾轉求之的東西。在對美麗的追求上，中國男人似乎都有點王衍先生的遺風。有一位朋友女兒將嫁，大家前往送禮，並致祝詞。有人曰：『妳以後成了主婦啦，不能再使性的玩啦。』有人曰：『妳要好好照顧妳的丈夫，不能仍以追妳時的態度待之啦。』有人曰：『妳要節省金錢，須知收入有限，不得不量入為出。』輪到柏楊先生，我曰：『妳必須拚老命以保持妳的漂亮容貌，使點性沒有關係，忽略點丈夫也沒有關係，稍微多花點錢也沒有關係，但妳一定要自己一直漂亮到底。』

柏老說這話，不是鼓勵小姐太太們去任性亂搞，也不是鼓勵小姐太太們對丈夫毫不關心，亂花他的錢，像包法利夫人亂花她丈夫的錢一樣，花得他家破人亡。而是特別强調美麗的重要，蓋聖崽們的特徵是，不肯口吐眞言，以示重德不重色者也。我想有很多關於婦女的訓誡和箴言是害死人的，這裏再引用一個故事，來說明它的癥結所在。有一位女作家將嫁女時，其贈言曰：『妳只有用一雙粗糙的手才能保持愛情。』該阿巴桑如果到女子學堂講演，說出這種言論，任何人都得頻頻點頭。只有我疑心她說這一段話時，一定有女婿家的人在一旁虎視眈眈，否則這官腔就未免慘無人道。

這種理論發展到極致，會使一個善良的女子墮入十八層地獄而不能自拔，有些受過高等教育的太太，只要生了一個孩子，就性情大變，成了河南曲子戲所唱的，每天『頭也懶得梳，脚也懶得裹，三步兩步進了灶伙。』眞教人爲她的丈夫，爲她的幸福落淚。柏楊先生有一遠房姪女，有一天抱着孩子來謁，告以她丈夫如何如何混蛋，因她丈夫也是我當年的學生，所以請我老人家伸伸援手。我把她上上下下打量了一番之後，不禁心膽俱裂，她乃留洋歸來的學生，有碩士學位，一向雖不太注意修飾，也總算看得過去，可是女別三年，刮目相待，而今她頭髮亂糟糟的好像爬了一萬隻蜜蜂；耳根後和脖子上積灰厚得好像三個月都沒有洗；未戴乳罩，胸前平平的像籃球場；衣服寬大而不合身，拉鍊半開，好像剛跟大力士決鬥過；沒有穿玻璃絲襪，小腿上皮屑斑斑；黑皮鞋磨得太久，再加上我家門口的泥巴，簡直要成了白皮鞋矣。詫而問曰：『阿囡，妳啥時候成了名士派耶？』嗚呼，用不着她宣傳她丈夫混蛋，我已經知道他非混蛋不可，有妻如此，要想不混蛋，不可得也。

我們這裏所謂美麗，固然是指先天的而言，一個女人如果天生的有沉魚落雁之容，閉月羞花之貌，論手足則纖纖焉，講三圍則倒懸葫蘆，那當然再好不過，具備這樣本錢的女人，眞是一輩子有吃有穿，所有男人都願爲她棄王位而打世界大戰。問題是這種美女不可多得，普通太太小姐，姿色都屬中等，有的且實在差勁，那豈不是都該死乎哉？我們所謂的美麗，正是提醒這類女子注意，蓋有些雖是天生，有些則全仗人工也，上帝賜給妳黑皮膚，固沒有辦法使它雪白，却可以洗洗乾淨，灑點香水。上帝賜給妳掃帚眉，拔不盡剃不盡，至少可每天細心描上一描。上帝賜給妳參差如墓碑林立的門牙，既黃且黑，既洗不掉，也矯不正，就應該到醫生處拔而鑲上假的。上帝賜給妳一臉雀斑，目前雖沒有特效藥，但妳至少應使它不再加重。上帝賜給妳巨大如水桶的腰，妳就應該注意節食和有恒的運動，不瘦不止。天下無難事，只怕有心人，美者，三分人才，七分打扮，只要清清潔潔，整整齊齊，大大方方，端端莊莊便夠啦。不在這上用工夫，而只一味的去拚命洗衣服煮飯弄孩子，妳便累死，都擋不住丈夫見了別的女人心中癢癢。

這簡直是非常明顯的事，一個男人在外工作，所見的女人全是花枝招展，光艷逼人，環肥燕瘦，美不勝收。可是回到家中，黃臉婆當門而立，眼眨眨而氣咻咻，倒盡了胃口。直脾氣的人覺得窩囊，就向外發展。聖崽們則埋在心頭，或氣成一場大病，或待機而發，一發而不可收拾。男人固然混蛋，女人的責任也大得很也。

一個女孩子的美，雖是天賦的，皮膚白者天生下來便白，如果天生下來黑漆一團，便是砌上一缸粉都沒有用。然而佳人難得，絕色更不易求，所以每年選舉的中國小姐，遠遠看起來還差不多，仔細一瞧的話，有的皮膚粗如樹皮，有的魚尾紋昂然而立，有的牙齒是敲掉了重鑲的。不過一經化粧，看起來就十分舒服，美的意義在此。

美國洛克城每年都有一個俱樂部聯誼大會，大會上有一個節目，要臨時抽籤抽出來一個臭男人，由他選出『全城最美麗的女人』，如得公衆認可，則有一千元美金的獎賞。大概就在前年，幾乎出了大事，一位跟城名相同的洛克先生，年已五十有五，妻子則四十歲左右，當他被抽中發言時，全體會員都以爲，他一定會依照俗套，說他的太太是全城最美麗的女人。可是他在環顧一周後，却突然曰：『瑪莉小姐——』此言一出，全場大譁，把他太太氣得臉色鐵青。他不但不安慰她，反而囁嚅自語曰：『瑪莉小姐確實很美麗呀！』經過一番騷亂之後，主席曰：『洛克先生的答案出人意料之外，我們要求他再答覆一個問題，如果大家滿意他的答覆，我們將再加上一千元獎金。那就是：爲什麼你不說你的太太美麗哉？』洛克先生詫曰：『我太太並不美麗呀，她美麗的時代已經過去啦，十八、九歲的女孩子才美麗，那只是一種幼稚的悅目感覺，沒有什麼價值。而我的太太却是全城最漂亮的女人，一種成熟的和眞正有吸引力的美。』

這場演出的結局是戲劇化的，洛克先生和太太，各獲一千元獎金，被羣衆蜂擁而歸。嗚呼，我想洛克先生的話夠明明白白，淸淸楚楚矣。美不美是一回事，它是上帝安排，非人力所可抵抗。但一個太太小姐有沒有吸引力，能不能把丈夫吸到身邊，則靠自己的功夫。

我們常批評某一位太太小姐，美則美矣，可惜太『薄』，或者是有點『小家子氣』，氣質使然，其因素過於複雜，要想她『厚』和『雍容華貴』，不是一朝一夕的事。蓋一個女人僅憑上帝賜給她的美無濟於事，必須自己造就自己。更何況上帝根本還沒有賜給她美乎？

一個女孩子，『年輕』就是資本，少女們身上充滿了青春活力，看起來都差不太多。可是一到了既做人妻，復做人母，年華老去時，那就要看各人的苗頭。少女時代，玩了一個通宵，第二天只要伏到案上稍睡，雖不梳妝，不掩容光。可是中年妻子便不行啦，如果不結結實實的把臉洗了又洗，不結結實實的把眉描了又描，其模樣眞是慘不忍睹。洋大人之國提倡夫妻分房而居，有其道理在焉。這年頭女人身上一半以上都是假的，第二天早上，睜眼一看，枕畔躺着一個母夜叉，眉毛上的黑墨擦到前額，口紅四溢，汗粉交錯，滿臉皺紋，睫毛也掉啦，眼圈也散啦，義乳義臀也滑到床前，做丈夫的傷心之極，恐怕當場就要氣絕身死。

聽說日本女孩子出嫁之前，其母對床第之事，必諄諄有所告誡，日本女孩子眞是有福之人也。可惜無法知其是否如此。中國女孩子出嫁，做母親的却像訓導主任一樣，只會精神訓話；訓得再多，都訓不到問題中心，那就是拴丈夫之法是啥？在這一方面，中國女孩子最苦。結婚之後，如何適應那新的婚姻生活，而且成功，只有全靠運氣，或全靠自己的悟性，一旦運氣不佳或自己悟性不夠，便是十嫁八嫁，仍然無可奈何。

我想每一個女孩子都應拜讀聊齋誌異上那篇『恒娘』，恐怕是中國指出婚姻生活癥結最深刻的一篇文學作品，必須一個字一個字的研究，觸類旁通，發揚光大。柏楊先生對每個前來請益的女娃，不管她年老年小，都一律勸她看上一看，關係稍近者我更囑她背之誦之。曾經談及的那位宣傳她丈夫混蛋的侄女，我就勸她不但看之背之誦之，還要寫一篇讀書心得，她以爲那一定是部美利堅洋大人理論之著也，欣然而去，第二天在電話上恚曰：『老頭，你教我去做什麼人？教我像妓女般狐媚他呀！』我曰：『阿囡，妳眞不可救藥，氣死我也，妳將來如果不打離婚官司，我輸妳一塊錢。』嗚呼，做一個妻子不兢兢業業，在吸引力上用工夫，偏要硬碰硬，我想天下最糟之事，莫過於此。蓋即令妳學問大得會發明原子彈，他娶妳是當他的妻，不是當他的師也；即令妳刻苦得日夜不眠，三天不吃飯，他娶妳亦是當他的妻，不是當他的奴也。明白這一點，事情才有轉機。他要求妻子者，最高的標準爲『三婦』，怎能跟婊子相提並論乎？張敞先生曰：『閨房之內，其樂有逾於畫眉者。』如果在丈夫面前仍想不開，不哆他一頓，媚他一陣，把他『吃得死脫』，一旦他混了蛋，妳怪誰乎？

無論如何，一個妻子有把自己打扮得漂漂亮亮，以使丈夫賞心悅目的義務，爲了家庭而把自己弄成了黃臉婆，韻味全失，不僅是不智的，而且是該死的。

這應該是另一種怨偶產生的原因，談起來眞是話長。妻子偷了野男人，丈夫生氣，固振振有詞；妻子花錢如流水，丈夫生氣，固也振振有詞；妻子坐麻將桌不下來，丈夫生氣，固也可以振振有詞。而妻子像牛馬一樣，在家中團團轉，丈夫如果再生其氣，恐怕其詞振振不起來矣。對這種妻子不滿意，還滿意啥妻子乎？然而，所謂怨偶者，却恰恰在此，口中雖說不出，或說出而得不到同情，不過其心中硬是窩囊得要命。這種窩囊的自覺使做丈夫的有一種委屈之感，和一種被糟蹋了之感。一有此感，該婚姻便跟從十二層樓上往下跳一樣，其不粉身碎骨者，那只能說是運氣好，不能說不危險。

前已言之，人生是相對的，婚姻更是相對的。俗語曰：『淸官難斷家務事』，蓋家務的糾紛，怨偶的形成，其原因拖泥帶水，亂七八糟，循環錯綜，不足向局外人道，甚至連夫婦自己都搞不淸到底是怎麼一回事。主要的便在於它有相對性，單獨責備某一方面，不能算公平。幸虧我們不是法官，只研究而不判斷，只提醒而不判決。嗚呼，有一種現象最最普遍，夫婦間鬧得非常嚴重，妻子這一方固沒啥毛病可挑，而做丈夫的却硬生生的非離婚或非分居不可，那到底是爲啥？

有一位朋友的兒子已結婚六載，生了二子，忽鬧婚變，媳婦固是典型的好媳婦，連公婆都無話可說，故對兒子暴跳如雷。兒子不服，該老兩口乃請敝老兩口前往調解，柏楊夫人一聽說男的不要女的，先天的就來了氣，進得門來，馬上向該世侄發表言論，對他的太太大加讚揚，柏楊夫人好像受過推銷員訓練，口齒之伶俐，無以復加，把世侄媳的優點滔滔不絕的宣傳了兩個鐘頭，最後拍案曰：『她有那一點不好？她有那一點對不起你？』問得該世侄目瞪口呆，無言以對，柏楊夫人自以為功德圓滿，拉我而回，並大言曰：『我馬到成功。』我却覺得並不對勁，此非對柏楊夫人不敬，疑她才華不夠，而是說：愛情這玩意不是自然科學，而是一種情緒生活，靠理論恐怕很難說服。你說地球是方的，我說地球是圓的，我可把你說得心服口服。可是，你如果不愛那位麻臉纏足，既蠢且悍的老迷死，我就是寫上十大本書，以證明她非常可愛，你不愛仍是不愛。

『飄』上有這麼一段，郝思嘉女士的父親當初求婚時，曾事先跟朋友們研究一番，判斷敵情，朋友判斷沒有希望，郝先生曰：『我每次去她家，她父親都熱誠歡迎。』朋友曰：『做一個朋友，他歡迎你，做一個女婿，他就未必了矣。』這話有其啓示性的作用，可借來說明一切。即以上述的那個媳婦而言，柏楊先生為了安定社會，發揚固有道德，並表示我是正人君子，也曾說過她無數好話。可是，嘴上固然如此說，假設該世侄曰：『她既如此之好，讓給你好啦。』我也不要。

毛病就出在妻子沒有一點錯處上，她早上天亮即起，丈夫留她稍睡溫存，她責任心極大曰：『不行，我要燒稀飯！』建議買豆漿以代之，她又節約心極大曰：『那要五塊錢！』丈夫上班後，她在家洗洗漿漿，灑灑掃掃，被孩子纏得天昏地暗，等到丈夫剛從衣香鬢影的雞尾酒會上歸來，妻子還沒有洗臉，坐在那裏氣喘如牛。晚飯桌上，她又滔滔不絕的罵張家之雞，咒王家之狗，對丈夫事業如何，漠不關心，而且也根本不知道。丈夫偶然提及，她也瞠目不知所對。晚飯後下女帶孩子去睡，丈夫希望她化粧一番，穿合身之衣，着合脚之鞋，描蛾眉而抹口紅，然後雙雙出去一遊，可是太太弄了半天，牙黃黃無可改也，鞋歪歪無可改也，襪子上破了一個大洞無可改也，見人則掩口嘻嘻小家子之態無可改也。萬一碰見朋友，就要臉上掛不住，出去之念乃頓然而消。一個男人一旦不願帶妻子出遊，或一旦以跟妻子在一起時爲羞，這婚姻就響了警報。該妻子就不得不檢討一下自己，若是徒和他打鬧，或求把他說服，那就野地掘井，越掘越深，終於會咕咚一聲掉進去，活活淹死。

很多怨偶屬於這一種類型，妻子行得正，立得正，簡直可以宣付國史館，誰對她都無話可說。可是却有一股勁硬是彆扭，使丈夫消受不了。那股勁便是俗陋，便是自己不知道把自己打扮得漂漂亮亮。

自由戀愛

年齡是人類第一大敵，相傳希臘女神雅典娜愛上了一個青年，向周彼得天帝要求賜他不死，天帝慷慨答應。可是問題並不簡單，他固然不死，十年二十年，甚至七十年八十年的活下去，他却老啦，滿面皺紋，眼睛看也看不清，鼻子嗅也嗅不靈，嘴巴也把不住滑，牙也脫落，髮也蒼蒼，行動也遲緩不堪，坐在沙發上，一天動都不想動，把雅典娜女士氣得發瘋，只好再向周彼得天帝求情，還是讓他死掉爲宜。

周彼得天帝是不是准如所請，教那人死掉，書上沒有記載，我不知道。但由此可了解一點，那就是『老』乃可悲之境，教人傷心落淚之境也。即以柏楊先生而論，無論年輕的女孩子也好，年長的婦人也好，都喜歡與我交往，非因我是正人君子也，乃因我七十有四，已到了所謂的安全年齡也。嗚呼，一個男人一旦到了被女人們認爲安全的年齡，活著就沒啥意思。

詩曰：『自古美人如名將，人間不許見白頭。』誠血淚之言，男人之老，尚且如此之慘，女人一旦老啦，就更一慘到底。道貌岸然一再強調重德不重色，恐怕是對女人的一種心戰，蓋德可恃而色不可恃，我旣重德，妳可大大的放心了吧。歷史上最著名美女之一的李夫人，那位絕頂聰明的女士臨死時，皇帝劉徹前往探望，她用被子把頭蒙住，硬是不肯露面，怎麼懇求都不行，劉徹去後，別人警告她恐怕得罪了劉老兒，她曰：『以色事人者，色衰則愛弛。』眞是揭穿了底牌，一句話就把臭男人的劣根性抖了出來。

我想對抗『老』的問題，僅只提倡重德不重色是不夠的，不但是不夠的，有時還教人笑掉假牙。從前盛行多妻之制，聖崽們德色雙收，（我想建議大歷史家，眞應考證一下孔丘先生是不是也有小老婆？春秋時也，貴族政治和農業經濟結合，正是典型的多妻社會，他老人家恐怕不能例外。）而現在流行一夫一妻，前已言之，要想不出花樣，對『老』的反應，不能不靠另一套，只宣傳『色』不重要，不但不能使人心服，而且容易造成家庭悲劇。

主要的問題是，『老』對『美』固有影響，但並不等於葬送，中國人因爲上述的那些宣傳，往往有一個誤解，認爲『十八歲姑娘一朵花』，流行歌曲中不就有這一首乎？實際上一個十八歲的黃毛丫頭，除了她的對象也是一個尚不懂事的小伙子，否則她的那一套僅只不過表面上飄浮的那一點，而眞正的魅力則產生在年齡較大的女人身上。君不見歷史上的美人兒乎？把殷紂帝子受辛先生逼得自焚而死的蘇妲己女士，把西周王朝四百年天下斷送了的褒姒女士，把唐王朝江山搞得亂七八糟的楊玉環女士，她們當時的年齡都在四十歲左右，就是最年輕的西施女士，范蠡先生發現她在河邊洗衣的時候，即令那一年她十八歲，十五年後，到了吳王夫差自殺之日，她已三十三歲，也進入中年了矣。

『老』對女人的威脅並不如一般人想像的那樣嚴重，因爲一般人想像得太過了火，以致連談都不敢談，甚至希望最好在觀念中一筆抹殺，結果因它違反人性之故，既行不通，還矛盾百出，不能自圓其說。一個年輕妻子如果爲了避免三十年後『老』時不漂亮，便現在也不講究，那眞是自掘墳墓的怪事。蓋人的年齡像一種旅行，到甲地有甲地的良辰美景，到乙地有乙地的良辰美景。柏楊先生十歲時，常爲二十歲的人悲，認爲他們對『撒尿和泥』都沒有興趣，有啥意思；到了二十歲時，又爲三十歲的人悲，認爲他們不知道向女學生吹口哨，又有啥意思；以此類推，到了六十歲時，更覺得七十歲簡直無聊，並常發表言論曰：『我到七十歲就自殺！』蓋萬不料能活到那一天也，想不到而今不但活到七十，而且還活過了頭，不但沒有自殺，簡直還快樂無窮。前天和老妻爭吵，我又發誓曰：『我要到八十歲不死，就買包巴拉松。』今天氣平，看情形屆時仍不肯善自罷休。

一個女人的外表美麗可能因時間而消逝，好比她的皮膚不再細嫩欲滴，不再白裏透紅；她的頭髮不再烏黑發亮，不再光鑑照人。但她的吸引力却與年齡而俱增，二十歲的女孩子像一朵沒有香味的花，年齡漸長，其香才漸濃，才能捆男人綁男人。十八歲女孩子能顚倒衆生乎？使英王愛德華先生放棄王位的辛博生夫人，那一年已三十七歲矣，難道愛德華先生是一個白癡哉？還是剛才那一句話，一個女人必須不斷培養自己，訓練自己，感情意境，才能成熟，身上才有磁性，中年婦人的愛深入骨髓，而少女的愛則如浮光掠影，因她們美的地方不同也。

怎麼樣穩住丈夫，於此又得一契機。

在古老的婚姻中，沒有戀愛，法律和習俗把兩個互相陌生的男女衣服脫光，讓他們的身和心，同時赤裸裸相見，並且還要過一輩子那種生活，簡直不像是眞的，而像是一部傳奇小說。在洋大人之國，古時候的兒女婚姻，也多由父母包辦，但程度上却大大的不同，父母即令再專制蠻橫，也總會安排一個機緣，或舞會焉，或宴會焉，使年輕男女能夠單獨交談。只有中國不然，大概是聖崽太多之故——嗚呼，一個孔丘先生已受不了啦，再加上孟軻先生，後來又冒出程灝、朱熹，那麼多的聖人之崽，男女間的關係，便更束縛死人。素不相識的男女，被納入一個籠中，說它有趣則可，說它戲劇化則可，說它慘無人道亦可也。

但是在表面上，那種婚姻是穩定的。而現在的婚姻似乎有點像兒戲，夫妻們一言不合，隨便拉兩個人，就可公證拆夥。而從前的離婚却難如上天，妻子要求丈夫離婚固然絕無僅有——五千年來大概只有一位朱買臣夫人，還鬧得滿城風雨，青史留名。便是丈夫向妻子提出離婚，也不多見，蓋他們沒有那種必要，看不順眼時，儘可再娶十個八個。因之現在有很多道貌岸然之徒，或聖崽之輩，每興懷古之情，認爲還是古時父母之命和媒妁之言那一套好。

嗚呼，古時那種婚姻，乃血淚婚姻，其所以表面穩定，基礎乃建築在女人對男人的絕對屈服上，女人好像狗皮膏藥，一旦黏到丈夫身上，就一輩子緊貼，她自己固然不會脫離，便是丈夫硬要掀之，也掀不下。記得有一同鄉，在京師大學堂剛讀了一年，便和一個女學生相愛，該女學生言明嫁他可以，但不能做妾，這要求一點都不過份，但實行起來却如赴湯蹈火。該同鄉的妻子沿街哭鬧，到縣衙門用頭猛撞石獅子，觀者落淚，該同鄉亦落淚焉。但他仍要求離異，他的意思是，只要名義上分開，有個交代，實際上固和往常一樣。可是妻子則恰恰相反，只求保持名義，你在外面隨便搞你的，三千年不回來都沒有關係。

我們無意討論這件悲劇的是非，也無意討論它的結局，只是想說明一點，古老婚姻之所以是穩定的，全靠狗皮膏藥，那狗皮膏藥由女人的血和淚組成，沒有女人的血和淚，婚姻就很難維持。站在一個男人立場，最歡迎『嫁鷄隨鷄，嫁狗隨狗』，和『從一而終』。一個大學堂校花一時鬼迷了心，嫁給一個一字不識的强盜，婚後發現他還染有國際梅毒，且有三期痳瘋，並且每天抽她一頓皮鞭。她如果忍耐，聖崽們認爲那才是美德，這種禮教，不是吃人是吃啥？

自由戀愛乃二十世紀新興的玩意，但最初仍是偸偸摸摸。至五四而一變，成爲半公開狀態，未婚男女即令並肩而行，也沒有人失驚打怪。至抗戰而又一變，女的臂雖掛到男的臂上，也不保證她一定嫁他。至臺灣而又一變，簡直可以和美利堅相比，同居者有之，玩一些時作鳥獸散者有之，情奔私奔者有之，形形色色，嘆爲觀止焉。這裏面有一種自然的趨勢，那就是民國初年的戀愛，差不多都是林黛玉、賈寶玉之型，纏纏綿綿，持之以恒，我有一個朋友，他和他的太太相戀達十四年之久，眞是驚天地而泣鬼神，教人嚇一大跳。而以後每變一次，戀愛的時間便縮短一次，將來總會發展到早上認識，中午即愛得不可開交，晚上就去法院公證，吹吹打打兼急急忙忙的入了洞房。

婚姻的穩定與否，很多人以爲跟戀愛的久暫有關，戀愛的時間越久，把對方認識得越清，善者娶之嫁之，不善者踼之使滾，如此便萬無一失。假使只認識三天就行婚嫁，婚嫁後再發現毛病百出，那才眞正的『一失足成千古恨，再回首已百年身』，何如當初多想一想哉？這種理論，猛一瞧眞可以置諸四海皆爲準，俟諸百世聖人而不惑。但問題是，天下根本就沒有那種能夠四海爲準，百世不惑的學問。

記得抗戰開始的那一年，柏楊先生在某衙門當官，請了一位專家講演防空之術，講了足足三個小時，他講得滿頭大汗，臺下聽衆頻頻昏倒，然無人開小差，蓋他口才極好，內容亦極豐富。講到最後，他指定一同事，問之曰：『當敵機投彈時，你正在馬路上，將如何哉？』答曰：『我趕忙跑到路旁排水溝裏趴下。』問曰：『然則跑到馬路左側乎？右側乎？』答曰：『不管左側右側，只趕忙趴下。』該專家大怒，厲聲斥之曰：『如此你就死定啦，你應該站在馬路當中，鎭靜第一，定神細看，看炸彈如落向馬路之左，則你向馬路之右躲之；如落向馬路之右，則你向馬路之左躲之，包管平安無恙。』語畢掌聲雷動，我更是佩服得五體投地，竊語同僚曰：『無怪人家當專家，眞有一套。』可是，一直到後來，眞正挨上了大日本帝國堂堂皇軍的炸彈，才知道迥然不是那麼回事，不要說站到馬路當中，便是站到半空，都看不清炸彈落向何方。婚姻專家的理論，固如是也。

歷史上有一項困惑，即『忠臣』與『奸臣』如何區別。哪一個皇帝肯用奸臣乎？他們用的全是忠臣，不要說稍有智慧的皇帝，便是白癡如晋惠帝司馬衷先生，他也知道忠臣的可愛，拒不洗掉稽紹先生的血。再奸的傢伙，皆是後世給他的判斷，在當時固都忠得不得了也。以明熹宗朱由校先生的昏暴，他之用魏忠賢先生，不是因他奸而用他，乃是因他忠而用他。

女孩子擇夫，跟皇帝擇臣一樣，都是揀好的挑，從沒有揀壞的挑。挑來挑去，而竟挑上一個壞的，只能怪自己智慧不夠，不能怪別人騙之也。試想只要皇帝哼一聲，就有享不盡的榮華富貴，怎能不使天下人都瘋狂的往裏鑽耶？有些人拚命讀書，以求金榜題名，有些人走門路拉關係，以求一官半職，其方法雖不同，其目的則一焉，只看當皇帝的有沒有智慧在那些亂糟糟的人羣中挑出忠心而有幹才的人，挑對了是他的福，挑錯了是他的禍。

女孩子亦然，從前王寶釧女士綵樓擇配，樓下人千千萬萬，那才是眞正的公平競爭，哪個男人不想娶宰相之女乎？古之時候，媒婆能把門限踏穿；今之時候，簡直更加緊張，一個女孩子只要一讀高級中學堂，男人的鼻子便咻咻然，蜂擁而上。寫情書給她者有之，幫助她做功課者有之，請她看電影吃小館者有之，向她保證可把她送到美國去者有之，誇耀自己萬貫家財以便買動芳心者有之。力大如牛護花打架者有之，會跳舞又會唱歌以才藝取勝者有之，女孩子好像一個到飯館裏的主顧，對著擺到桌上的各色菜餚，簡直不知道該吃那一樣才好。晉王朝的宰相何曾先生，一食萬錢，還嘆無下箸處，非他的胃口不好，而是菜太多也。

挑出可口菜，全靠經驗，跟挑得久不久無關，假使一點經驗都沒有，便是坐在那裏研究三天，也研究不出結論。戀愛的情況與此十分相似，戀愛得再久，不要說十四年，便是四十年，都不能保證婚姻美滿，猶如在桌旁看上四十天都不能保證一下筷子便對勁也。柏楊先生抗戰時到四川，在街頭吃一種『米粥』（實際非粥，乃黃色之漿，忘其名字矣）。見車上有一碗雪白之物，以爲是糖也，趁老闆不備，抓了一把投入碗中，偏偏被他扭頭看見，我以爲他要跳高，却不料他却恍然大悟曰：『你們下江人眞能吃鹽。』聽了後懊悔不迭，果然鹹得我雙淚齊流，爲了自尊，只好硬著頭皮吃光。回到旅館，整整喝了三大壺茶，都不能解舌根之澀。

這個問題在於，所謂長久的戀愛，都發生在農業社會，移動性小而情緒穩定，沒有發現更高級的對象，只好『君子之交淡如水』。而今社會型態大變，持久的談情說愛遂成爲不可能。有一個學生前些日子前來告貸，說要結婚矣，老妻乃一再致賀，蓋他的女朋友貌如天仙，學識又好，該學生解釋曰：『我已沒有力量戀愛下去啦。』原來戀愛也不簡單，乃是一宗開支甚大的行業，窮小子眞有點負擔不起。在洋大人之國，男女眞正平等，二人出遊，各付各的錢，所以洋女學生最喜歡跟中國男學生一塊去玩，因中國流行的是『男人包辦制』，坐車焉、吃飯焉、跳舞焉、喝咖啡焉、看電影焉，甚至女孩子月經不調醫藥費焉，男人統統拍胸脯付之，不叫他付他還認爲看他不起哩。男女朋友同行，假使由女的付款，世界上還有比這個更丟臉更掃興的事乎？

不僅僅是負擔不起而已，基本上長期挑選等於不挑選，凡是有若干年以上戀愛史的人，多半是斷斷續續，離離合合，乃一『鷄肋』，只不過棄之可惜耳。在此漫長時間中，遇到好的，就把他一脚踢，遇到不好的，非結婚不可時，就撿起來結婚，這裏面無可奈何的成分多，纏綿入骨的感情少。

柏老說了這些，並不是贊成女孩子倉促便嫁，男孩子倉促便娶。蓋戀愛的時間太短，比戀愛的時間太長還要冒險。我們只是說，愛情沒有定律，『一見鍾情』，其結果固然慘的很多，但不是每一個『一見鍾情』都非慘不可，我曾親眼看到至少有四對『一見鍾情』，相識了只半個月便結了婚，垂三十年之久，他們的生活美滿得很。而那位戀愛十四年的朋友，目前正在打離婚官司。一句話可以包括：婚姻美滿與否，跟戀愛時間的長短，沒有必然關係，如果僅僅根據戀愛時間的長短，就去判斷婚姻美滿與否，那屬於聖崽言論，聽不聽在你。

老妻少夫

夫婦們的結合，年齡是一個最大的考慮，提倡愛情不講條件的人，於此又被打一嘴巴。『邊城英烈傳』上那個唯一的女主角把男主角趕出房子之後，曾厲聲問曰，『假如我是一個七八十歲的老太婆，你也如此殷勤，硬要為我效勞乎？』問得男主角呆了半天也說不出答案。這可說明一點，戀愛也好，失戀也好，甚至成了怨偶，打打鬧鬧，以致仳離，年齡往往佔一個重要地位。是一個沉重的『結』，最好是一開始便沒有這個『結』，不幸而有這個『結』，怎麼把它解開，就得各顯神通。

大概任何農業社會，都流行早婚，而任何早婚社會，差不多都有一種現象，那就是妻子的年齡往往比丈夫的年齡大。中國北方尤其如此，爭取人力故也。蓋當丈夫的男孩子，不要看他在結婚之日，頭戴金花，身坐大轎，神氣得不得了；實際上主角並不是他，他只不過一張領東西的收條，憑該條收到新娘一名。收到之後，便不再重要，而交由母親支配矣。洗衣燒飯，下田耕種，俗話說，一個好媳婦等於三條壯牛。柏楊先生在家鄉時，常見一些少婦收割玉米，禾高沒人，禾葉如刀，如果是在臺灣，女人們一定渾身密密的包將起來，只露兩眼。而北方的農婦則不然，她們的婆婆教她們把兩袖和褲管捲起，問婆婆那是爲啥，婆婆曰：『肉割破了會慢慢長好，衣服割破了豈不要換新的？』此固可看出北方之窮，婆婆之惡，但也可看出娶媳婦的主要作用何在。

因之，一個十四五歲的男孩子，其新娘往往是十七八歲，十八九歲，二十歲，二十一二歲，甚至更大，那簡直是一場殘忍的玩笑。看過中國小姐選拔的人恐怕都有此感，女孩子到了十七八歲，已經相當成熟，知道自己照料自己，儼然的小大人小母親，此時便是把一個家庭的重擔放到她身上，她都能擔當得下來。可是，不要說十四五歲的男孩子，便是十七八歲的男孩子，又如何乎？不必逐戶調查，只要到一個高級中學堂參觀一下，便知梗概，十七八歲的男孩子尚是一個髒兮兮的小潑皮，滿腦筋無法無天，不僅不懂得家庭和婚姻是啥？連他自己是啥，他都不知道。

那種婚姻的結局實在用不著預卜，很多做丈夫的結婚時還鬧著要跟媽媽睡，柏楊先生的堂兄於光緒十三年中秋節娶親時，年方十四，被父親打著罵著，推入洞房，他就滾到地下大哭大號，若死了親爹然，結果還是隔窗答應明天給他買一匹小馬，才由新娘服侍上床，可是堂兄生性膽怯，新娘一挨他他就叫，使得聽房的人啼笑皆非。嗚呼，做丈夫的固不快樂，做妻子的，其痛苦恐怕更加數百千倍，眞是把女人不當人也。

早婚的怪事現在當然已經絕跡，但即令是自願的，妻子的年齡比丈夫大，也是悲劇。抗戰時，蘭州某大學堂，有一位女教習，愛上她的男學生。如果反了過來，是男教習愛上了女學生，那簡直是杏壇佳話，可是女教習愛上了男學生，那情形就非常的特別，鬧了個天翻地覆，恰恰該男生的姐姐也在該大學堂執教，反對最力，曾當衆罵那個女教習勾引她的弟弟，但他們仍是結了婚。假如是男教習和女學生結了婚，往往等於開始他們的幸福生活，但女教習和男學生結了婚，不僅不能開始幸福生活，反而更糟，姐姐大人首先訓該女教習曰：『妳雖是一個老太婆，年齡比我還大，但仍是我的弟婦，我要好好管妳，你們就住在我家，不準到處亂跑，妳應把我的弟弟服侍得舒舒服服。』小丈夫的男同學們，每天蜂擁的跑到新房，喊女教習爲『大嫂』，叫她泡茶，請她遞烟，諧謔百端，而做丈夫的不過是一個未成熟的大學生而已，情緒旣不穩定，性格尤其暴躁，女教習服侍他再好，每逢他看到同學們如花似玉的年輕女朋友，而他妻子竟是一個滿臉皺紋的阿巴桑，他就生氣，起初時尚可自制，久而久之，則委屈之感，積壓如山，經常對女教習詈之咒之，打之揍之。抗戰勝利的那一年，該女教習已被她心愛的小丈夫折磨得瘋瘋癲癲，精神恍惚，望之更難入目，經朋友建議，還是離異了事。

這是一幕活生生的警世悲劇，一定有不少朋友知道這故事，並能提名道姓。我想以女教習的學問，她應該知道年齡問題的嚴重，而她竟不知道，那是她的蠢，吞下自己蠢的果實，固不能怨天尤人。

這並不是說柏楊先生天生的狠心狗肺，對女教習毫無憐憫之情，竟用別人的不幸來證實自己的眞知灼見。而是說，我想女教習當初一定也曾考慮到年齡問題，不過她不相信眞的會如此嚴重。就這一點，我就誓不饒她。

上帝似乎專門拆散那些女大男小的婚姻，祂不必直接下手，只要玩點花樣就如願以償。不知道怎麼搞的，女人總比男人容易衰老，兩人同是二十歲三十歲時，還看不出什麼，一旦進入四十，苗頭便開始不對，再進入五十，那就懸殊天壤。一個男人，十年八年不見面，再見時仍是那個模樣，四十歲不比三十歲更老，五十歲看起來和四十歲差不多。而女人就危險重重，二十歲或三十歲時，固嬌艷如花，可是到了四十歲五十歲，除非天生尤物，或是她聽從柏楊先生的意見，經常注意修飾和培養自己的吸引力，否則其模樣眞將不堪聞問。蓋男人耐老，堅靭如木，凋零起來不太明顯；女人如花，盛開時美不可言，凋零起來却快得很。

柏楊先生曾親眼欣賞過一幕奇景，三十年前卜居廣州時，敝堂兄一天午睡，聞門外唧咕之聲不斷，乃起來干涉，原來一蛋販在門口賣蛋，逐之使去，該廣東佬曰：『我也不是自己來的，是你媽叫我來的呀。』敝堂兄聽了後發昏第十一，該混帳東西竟把他太太當作他媽矣。當時要不是我一拉再拉，他眞要把他的籮筐踢翻。然而仔細一想，能怪該小販乎？堂嫂雖只比敝堂兄大十歲，初結婚時及婚後二十年間，尚不覺得，可是男的容顏一直如舊，而女的容顏一天比一天不堪，等丈夫四十歲時，望之若三十許人，妻子已五十歲，望之若六十許人矣，在別人心目中，丈夫怎能不成了兒子哉，至少看起來也像她的老弟，做丈夫的心中不如火燒者，未之有也。後來敝堂兄堅持非離婚不可，堂嫂到處哭訴，我本來可抓住這天賜良機，以表示正人君子，對堂兄斥責一番的，可是我無一言，蓋離則堂嫂痛苦得發瘋，不離則敝堂兄痛苦得也發瘋也。

容貌固然使老妻少夫的夫婦不能相配——人家的太太都年輕，只有俺的妻子是老太婆，那股傷心，實在欲絕，便是他追求她時立下血海重誓說受得了，屆時仍受不了，寧入十八層地獄，也得換上一換。這不是道德不道德問題，而是幸福不幸福問題。而且即令在感情上，

也問題重重。柏楊先生沒學過心理學，不知道心理學上有什麼解釋，可能是男人成熟得較晚，故臭男人的情緒最不穩定。如果妳讓他負擔妳的生活，他會天天乾嚎，如果妳要負擔他的生活，他認爲妳離不開他，會從心眼裏看不起妳，反正日子都不太好過。

柏楊先生前曾言之，愛情是不按邏輯發展，且無定律的，現在却似乎可弄一個定律出來，曰：『女比男大的婚姻差不多都沒有好日子，不是一輩子窩窩囊囊，便是男人把她一脚踢，其可能性和年齡懸殊的多少成正比例。』如果有藝高膽大的女士硬不服氣，則不妨嫁之試試，靈不靈和準不準，試後方知。

再大的力量都無法拂去生命在臉上刻出的軌跡。那軌跡刻到男人臉上，表示的是他經驗豐富和可以信賴的權威。人們生病，如果請來的醫生是一個油頭粉面的年輕小子，準不放心，如果該醫生鷄其皮而鶴其髮，就忍不住肅然起敬。可是那軌跡如果刻到女人臉上，那代表的意義只有一個，就是衰老，也就是愛情生活的陷阱。

女人最糟的一件事就是當她進入遲暮之年的時候，却忽然發生了戀愛，而對手又是一個比她年輕的男人。嗚呼，即令一條蠻牛撞進瓷器店，所造成的後果，都不能比此更慘不忍睹。我想在太古之初，男女之間的戀愛和婚姻，年齡所佔的地位並不重要，只要是一男一女，便可成爲夫婦。不過幾萬年幾億年下來，人們終於發現男人的年齡如果比女人大，婚姻將更容易美滿，現在的人看起來男大女小的情侶，認爲天經地義，可是在太古時却是一個大的革命，不知道累積了多少痛苦經驗，才有此結論。

所以女大男小的戀愛，不能不說是一種畸戀，有異於普通最常見的男大女小的愛情，因之痛苦就在其中。假如女人有錢有勢，好比說，一個五十歲的女人愛上一個三十歲的男人，即令那愛情是聖潔的，她所有的鄰居和親友也會在雪亮的眼睛中射出一種足以使她毀滅的光芒，那不是養小白臉以自娛是啥？一個女人一旦被人認爲養小白臉，一個男人一旦被人認爲他就是被養的那個小白臉，所謂『老馬專吃嫩草』，日子就尷尬萬分。

當然，那種愛情也有幸福的一面，有它入骨的妙處作爲報酬，這就又要歸根於上帝老爺矣，男人性能力最强的時候是二十歲到三十歲之間，從前是不成熟，過此則日漸減退，這種安排眞叫人跺脚，又不知當初造人時是怎麼搞的也。當一個男人在生理上發展到高峯，極端需要異性的時候，他還是一個孩子，沒有經濟基礎，不能成家。可是等到他可以成家時，性能力却開始衰微，天公不作美的事，無逾於此。而女大男小在這方面可得到徹底的解決，君若不信，試分析一下身邊的這類婚姻或這類愛情，包管你點頭如搗蒜。那類丈夫和那類情人，不僅年輕而已，而且多少還十分帥，或十分壯。

年紀大的妻子在家庭裏，同時具備兩種身分和兩種心情，一種，她是她丈夫的妻子，要做妻子的事；一種，她是她丈夫的母親，有做母親的氣質，主要的是忍受他的暴跳如雷，甚至忍受他遺棄性的恫嚇，或眞的遺棄。她不但像對丈夫般的愛他，而且還要像對孩子般的容忍他。於是，那個小白臉丈夫有福啦，他回到家來，妻子笑臉相迎，接到大衣掛之，接過皮包放之，他往沙發上一坐，妻子彎腰爲之脫鞋，然後打洗臉水焉，然後遞上一支香煙焉，然後摸著他發燒的臉，發誓曰：『我再也不叫你去喝酒啦。』然後摸其胸上排骨，發狠曰：『我要把你養得肥肥的如富家翁。』這種情調眞是黃金都不換。

一個男人一旦被年長的女人愛過，他對年輕女孩子那一套便很難適應，一個被男孩子羣追求的女孩子，簡直像一個暴君，男人在她跟前小心翼翼，如臨大敵，她一咳嗽他就一心跳，她兩天沒有信他就疑心她去了巴西，她一發小脾氣跟別人去跳舞，他就覺得腦崩腸裂，不如一死。蓋年輕的女人以自己的幸福爲前提，動輒要求男人犧牲。而年長的女人，小姐時代那一套東西再拿出來，誰還理她耶？她們拿出來的乃是另外的一套，不再要求男人犧牲，而是要求自己犧牲，這其中自包括不少屈辱，但男人也因之如醉如癡。

因此可看出一種現象，一個男人一旦接受了年長女人的愛情，他便算完了蛋，蓋在那畸戀之中，他像嬰兒一樣被供養和被保護，那個業已消失了青春的女人，在他身上找尋青春，照顧周到，無微不至，閨房之中，另有天地，再大的壯志都將被腐蝕得無影無踪。

問題是，這種幸福在精密的心計安排下才有，年齡對女人的意義似乎還不僅是變老，也不僅是愛情生活的警報，而根本乃是一個悲劇的開始，如果她的丈夫比她年輕漂亮，那種有隨時被遺棄的恐懼，便更難以忍受，即令上天特別垂憐，使她的小丈夫一直愛她如恆，但心理上的負擔，也會使她更快的變老，終有一天緊張成精神病。

傻子乎？瘋子乎？

不知道是那個洋聖人說的：『男女結合而顧慮年齡，是傻子；不顧慮年齡，是瘋子。』初聽起來好像說啦等於沒說，實際上却指出年齡問題的嚴重性，固一言難盡者也。無論戀愛和婚姻，比丈夫年老的妻子所扮演的，往往是悲劇角色，她的演技再好，她的聲譽和財產蓋天下，都沒有用，導演既把她安排成慘兮兮下場，她就得慘兮兮下場，在戀愛上和婚姻上，年齡就是導演，也就是上帝，除非你跳樓自殺，否則便無法抵抗。

在臺灣便有一個實例，以武訓自居的某教習先生，誠人傑也，既做過官，更創辦了一所學堂，翻手成雲，覆手成雨，十餘年間，出籠的節目均甚精采，最後他又姘上一位護士小姐，把他太太經常打得身負重傷，躺床不起。有一次他太太過馬路時被汽車撞倒，昏迷不醒者三日，他以為她要翹辮子矣，大喜過望，準備好了眼藥水，要表演一番伉儷之情。想不到他太太命不該絕，竟然甦醒，在病榻前供出地址，通知前往繳醫藥費，不禁大失所望，見其妻第一句便罵曰：『媽拉巴子，妳怎麼搞的？』嚇得他太太淚都不敢流。

是不是該教習先生天生的就如此辣手摧花乎？如果一追究他們婚姻本身，便不難發現其癥結何在。蓋二人原本小同鄉，當初異地相遇，自分外親切，女的比男的大二十歲，男的乃以『鄉姐』呼之，女的亦以『鄉姐』自居，男的彼時正在學堂念書，女的就在學堂附近某校執教，抗戰時沒有家的學生們一個個窮得要命，而該鄉姐却頗有幾文，每天晚上及星期日一整天，都以燉牛肉、花生米招待鄉弟，鄉弟好吹，再呼朋引類，招來些狐羣狗黨，四十歲的女人對那些毛頭學生，簡直可以玩之於股掌之上。於是，均稱其賢；於是，均稱其美；於是，反正有一天，他們忽然宣佈要結婚啦，有些朋友便勸二人不可如此，柏楊先生斯時亦分別曉以大義，可是他們愛情之堅，連原子彈都轟不破，年齡相差有啥關係？只要相愛便可。凡是相勸的人統統被趕出大門，以柏楊先生之尊，簡直是等於被罵了出去，我當時就以父執身分，站在街心回罵，圍觀者甚衆，著實出了一陣風頭。

結婚時她四十五矣，他才二十五；十年後她五十五矣，他才三十五。咦，固然年齡沒有關係，只要相愛便可，却不知硬是因年齡之故，竟愛不起來。這跟說不吃飯沒有關係，只要不餓便可一樣。不吃飯一定肚餓，要想肚子不餓，就必須吃飯。在名詞上，二者雖然可分，在因果上，則二者不可分也。剛來臺灣時，該鄉姐手抱娃兒，前來啼哭，告曰：『他一看見別人年輕的太太，就恨我。』嗚呼，對啦，這才是一針見血之言，從做妻子的口中說出，更增傷感。我想建議地方法院公證處，凡是遇到女大男小前往結婚的，應先將柏楊先生的偉大言論，對之宣讀，請其激昂反駁，如能拍案大罵我是天下最大的壞蛋則更佳，然後錄音存證，等他們有一天打離婚官司時，放給他們聽，然後各打其屁股四十大板，枷示西門町，以勸世人。假使能夠如此的話，使男女均有所警惕，對社會家庭的安定與鞏固，功德無量。

顧慮年齡固被聖人譏爲傻子，但傻子往往還可能有傻子之福。不顧慮年齡的瘋子，却從沒有聽說有瘋子之福也。女人們所遇到年齡上的困惑，在過去一直是密密隱蔽，現在才逐漸公開，一個女人必須有勇氣接受她的年齡，才能拯救自己。在這方面，我想上帝未免有點不太公平。最常見的是，一個男人，他可以跟比他小十歲，小二十歲，甚至小四十歲的女子結婚，結果都很可能圓滿；而一個女人如果跟比她小十歲的男人廝混，便是笑話，如果跟比她小二十歲，小三十歲的男人廝混，那簡直是恐怖的笑話。然而女人們責備上帝不公平則可，要求上帝改正待遇則可，硬和上帝碰一碰，準碰得筋斷骨折。

這一類的電影最近曾不斷上演，『羅馬之春』中的史東夫人，以她的姿色，和她的財富，都不能控制那小伙子，該小伙子最後質問她：『妳多大？五十三？』砰的一聲關門而去。『金屋淚』中女主角似乎更慘，她那年輕的情夫對她不過是一時尋樂，一旦等到結識了董事長千金，便把她一脚踢開，逼得她竟以自殺告終。

電影固是電影，小說固是小說，但電影和小說提出的是社會上的現象，指出的是一些存在的問題。和年輕小伙子相戀或結婚的年長女人，她的生命像打了嗎啡一樣，會突然而且空前蓬勃，但她不敢面對鏡子，只敢面對小白臉，結果是小伙子掉頭而去，留下連鐵石心腸的觀衆都不忍卒睹的凄涼。即令小伙子不掉頭而去，由上面舉的『鄉姐』之例，我看她還不如向丈夫討幾個錢，在臺北郊區買棟房子，以度餘年，來得平安。

男女間的年齡應如何配合，才算恰當，言人人殊，柏楊先生膽大包天，敢斷言女大男小的婚姻不妙，但怎麼樣才妙，却是不敢亂開簧腔。

一個女人如果承認自己是一種容易衰老的動物，至少比男人容易衰老，那對她是幸福的。前已屢言之矣，丈夫二十歲，妻子二十歲，固是一對萬人稱羨的璧人，然而三十年後，丈夫五十歲，尚可冒充小伙子，妻子五十歲，已鷄皮鶴髮，再不能陪丈夫跳舞游泳矣。故女大男小固是一種病態婚姻，即令男女二人年齡相同，或男比女僅稍大一歲兩歲，其前途也充滿了暗礁。

女人易老，固是天意，亦由人力，『生育』『哺乳』二者，如毒蝎的兩把巨螯，硬是活生生的把如花似玉的太太小姐，蹂躪成一個不堪回首的老太婆。柏楊先生讀京師大學堂時，有一旗籍的女同學焉，天足如削，其艷空前，我有幾次下定決心，即令是天打雷劈，也得把她看飽，可是到了跟前，却又不敢仰視，蓋她光艷逼人，勢不可當，當時便癡癡癲癲的想：『她萬一嫁給我，我恐怕天天只有發抖的份兒，連碰都不敢碰她。』抗戰前一年，我在湖南教書，有一天到某一小學堂參觀，一老嫗在臺上為兒童講『弟弟來，妹妹來』，聲音甚為熟悉，隔窗睇之，其輪廓尚在，然昔日風韻却全化烏有；課後被邀赴其家，丈夫固高官也，經濟景況甚好，她乃是不甘寂寞才去教書的，但她閤下生了四子五女，老大已赴美利堅讀打狗脫，小者正讀小學六年級，我再向她端詳，這時如果我向人說她想當年貌如天仙，恐怕都要一口咬定我亂蓋。

女孩子如果有此認識，我想她就不會急急的嫁一個年齡和她相若的小子，電影上這種年齡相若結婚的鏡頭最多，洋大人的電影當初也是如此，後來才算有了改變。中國電影則一直保持這種狗屎觀念，男女結合，必定是女子二十，男子頂多二十二三。君不見電影明星乎，如加利古柏、約翰韋恩、克拉克蓋博那種性格的男性——醜陋、沉毅、粗野、魁梧，中國電影裏從來沒有過。中國的男演員，全是小白臉，油滑滑若王府裏豢養的相公，他們表現的不是男人的『力』，而是專靠女人吃飯的軟骨頭。嗚呼，那種男女主角在銀幕上結起婚來，正代表中國人心目中『珠聯璧合』的典型願望。

每逢我看到男女年齡相等的夫婦，或男比女稍大一點點的夫婦，我便不由得不憂心如搗，蓋想到十年後或二十年後，甚至三十年後，那時候丈夫還生龍活虎，而妻子生了幾個娃兒，腰粗肚鼓矣，牙齒動搖矣，眼眶瘦痛矣，指甲剝落矣，一動不如一靜矣。男人的經濟基礎已立，正當壯年之時，妻子却花衰葉敗，你說掃興不掃興吧。安分的或沒有機會的丈夫，對家的感情不過日漸淡薄；不安分的或有美女投懷的丈夫，則就開始雲遊四方。

老夫少妻

在婚姻中，年齡是一項最大的困擾，老妻少夫是農業社會畸形的產物，只有農業社會才有其解決之道，在工業社會中便成了一個癌，爲任何美滿婚姻的致命之傷，終必有一天要發作，羣醫束手。然則，到底如何才算合適耶？最流行的算法是：『女歲爲男歲的一半加七』，男人三十歲，一半爲十五，加七得二十二，女人二十二歲就對啦。男人如爲四十歲，一半爲二十，加七得二十七，女人二十七歲就對啦。這種算法是不是有科學根據，我們不知道，但看起來却頗有點道理，蓋這種說法永遠堅持男比女大的原則，且隨年齡而增進其距離。柏楊先生認爲這眞是值得參考的意見，年輕的朋友雖不必奉之爲金科玉律，但計算下來如果能跟它差不多，則婚姻又多一美滿條件。二十二歲的妻子配三十歲的丈夫，二十七歲的妻子配四十歲的丈夫，三十三歲的妻子配五十歲的丈夫，其對社會的適應和對家庭的凝固，最爲有力。即以第一例而論，女孩子二十二歲不過才大學堂畢業，尙是一個不知道天高地厚，也不通人情世故的黃毛丫頭，如果嫁了一個同樣的也是毛頭小伙子的丈夫，兩個人頭上都長滿了稜角，在社會上左也碰之，右也碰之，碰了個焦頭爛額，再加上沒有經濟基礎，不要說新婚的樂趣全無，到緊張關頭，簡直是連生命的樂趣都沒有矣。而她如果嫁給一個三十歲的男人，該男人至少已在社會上碰了八年，創傷早已平復，路子早已闖了個差不多，自然比較輕鬆。

讀居里夫人傳的人很多，大家對她有至高的敬意，但興趣似乎都集中在她的發明上，恐怕很少注意她的婚姻。仔細研究，可發現一點，居里夫人當初如果不是嫁給居里先生而是嫁給別的年輕人，恐怕結果將是兩樣。蓋居里先生雖然窮苦，却是一位受人尊敬的教習，且擁有一個實驗室，居里夫人等於一跳就跳到一條早已建造好而且建造得非常堅固的船上，她如果嫁別的年輕人，還得滿頭大汗先行造船，再航彼岸，就事倍而功半。

然而問題似乎也就發生在男人宜比女人爲大這個原則上，『一半加七』似乎是一個足資信賴的準則，不過有時候却偏偏的加過了頭，舉目四顧，老爹型的丈夫簡直如過江之鯽，流行歌曲上就不少這類描寫，一個妙齡女子陪著一個老態龍鍾的傢伙上街，人皆以爲他是她的爹，却原來他是她的夫，怎不教人恨得牙齒發癢？這種畸形的婚姻制度似乎比老妻少夫還要古老。聖經上便有記載，大衞王到了八十歲高齡，還娶了一位十七八歲的女子爲妻，爲了避免誤會，聖經上還特別聲明，他娶她並不是爲了性慾，而只是爲了取暖，據說人一到八十，再厚的被子或再熱的爐子都沒有用，而是『非女不暖』，有權有錢的老頭兒眞是艷福不淺。

不僅洋聖人如此，中國歷史上，老夫少妻現象和老妻少夫現象，同樣普遍，此乃老妻少夫的附產物，用以補救其弊的，故往往是兩種畸形婚姻並行於一個家庭，不但沒有人以爲稀奇，而且視爲當然。想當年錢謙益先生跟柳如是小姐定情之夕，錢先生已七十歲矣，而柳小姐才二十餘歲，錢先生曰：『妳的皮膚像我鬍子一樣的白。』柳小姐曰：『你的皮膚則像我頭髮一樣的黑。』嗚呼，錢老頭以將進棺材之年，有此艷遇，眞叫人氣沖牛斗。某人詠老夫娶少妻詩曰：『今宵扶入羅幃帳，一樹梨花壓海棠。』不要說眞有其事，僅只一讀，我就心跳。

這種現象往往被視爲佳話，站在男人立場，當然高興萬分，即以柏楊先生而論，固日夜都希望有一個年輕貌美的俏麗佳人做爲妻室，只不過爲了顏面，不敢朗朗出口。有一則小幽默故事說，一羣老頭聚集在一起，各言其死，願得心臟病死者有之，願一覺不醒睡死者有之，願一口氣接不上死者有之，一位九十歲的老傢伙一語驚人，他曰：『我願被吃醋的年輕丈夫一槍打死。』此公眞是了不起的人物，全部男性的弱點，在此一句話上洩了個盡。蓋男人都是如此的不爭氣，年紀愈大，典故愈多，想出的花樣愈繁。傷年華之老去，越是想找個年輕女子補償一番。便是大聖崽朱熹先生，見了名妓嚴蕊小姐都打主意，動刑告狀，弄得醜態畢露，何況一些小聖崽乎哉。

我們可以說，古時候的女人嫁老頭，有其不得已的苦衷，蓋身不由己，不嫁不行。可是時到如今，沒有人再強迫她們，不但沒有人強迫她們，甚至還有人加以阻攔，而她們竟然還是硬嫁，使世界上更多采多姿，其中道理就很大啦。某作家年已四十，和一比他小二十歲，而且已經訂了婚的少女相戀，少女父母反對得激烈，用不着說啦，她的未婚夫在美國聞知，更七竅生煙，岳婿雙方，立刻採取行動，購買飛機票一張，遣她出國，而她却在上飛機前開溜，其未婚夫之友查訪了兩天，抓住二人，指男的鼻子謂女的曰：『他當妳的爸爸都可以啦，妳怎麼能嫁他？』結果她還是嫁了他，把所有親戚朋友都氣個半死。

老妻少夫使人身上起鷄皮疙瘩，老夫少妻則使人妒火中燒。馬五先生就有一段可資一述的奇遇，他有一次拜訪朋友，朋友不在，一位小娘子捧茶捧煙招待，他以爲她是朋友之女也，乃端起父執架子，與之濫語，並呼之爲『小姐』，且詢之以『妳爸爸何時可回？』等了一會，朋父返矣，原來竟是他老人家的太太，馬五先生尷尬萬分。我想他還算有學問的，談話尚有分寸，若遇柏楊先生，說不定還自告奮勇，硬爲她介紹男朋友，那事情就更難下臺。不過有一點請讀者先生放心，馬五先生的遭遇並不惡劣，甚至反因禍得福。你如把妻子當作丈夫的女兒，兩個人雖面有慍色，心中却是猛喜的。你如把妻子當作丈夫的娘，包管兩個人一齊跳脚。故馬五先生那一次着實吃了一頓上等午飯，飯後還有韓國蘋果助興。

有馬五先生這種奇遇的甚多，而且都跟那位嫁作家的女孩子一樣，出於自願，任何一個大一點的機構或大一點的工廠，都會發生一種現象；年紀輕輕的小姑娘硬是喜歡跟一個老得可以當她爹的人搞七捻三，或愛之，或嫁之——老得像她爹，還算客氣的哩，有時候簡直老得跟她祖父一樣，那就更教人結舌。

無論如何，這是一個畸形現象，有時候簡直畸形得不可思議，很多貌美如花的年輕女孩子竟愛上可做她爹，和可做她祖父的男人。即令他已經結婚，兒女成羣，還是照愛不誤。不過，跟有婦之夫談戀愛，比嫁給老頭更糟，因爲結婚乃是美滿的結果，而跟有婦之夫談戀愛，却不容易有此美滿的結果，不能給她任何前途。問題却是，年長的男人比年輕小伙子更有吸引力，這種情形跟女人相同，女子必須到了三十歲以上，才能培養出來魅力，男人固也如此。好萊塢電影明星埃仙佛小姐便是嫁給可做她爹的男人的，以埃小姐之美之富，追求她的男孩子多如過江之鯽，但她一個一個陪他們玩了一陣之後，最後均一踢了之，結婚之日，那些年輕小伙子圍住她的香閨大鬧，要她說明為啥非嫁老頭不可。她當時並未說明，事後也永沒有說明，但她曾告她的密友曰：『跟那些剛從大學堂畢業的青年在一起，妳得時時照顧自己，他們的一舉一動，一言一語，都幼稚可笑。』

這是一針見血之言，年輕小伙眞得檢討一番。有一次柏楊先生去臺北萬盛里訪友，見一對年輕男女，都穿着游泳衣，男的悻悻而去，女的靠籬而立，渾身發抖，若是年長的丈夫或情人，絕不忍心丟下她也。因憶及抗戰前一事，那時上海法租界公園，門口有牌子曰：『中國人與狗不得入內。』（這已成了歷史陳跡矣，抗戰勝利後中國軍隊接收越南，據說也如法炮製，在公園門口懸牌曰：『法國人與狗不得入內』，總算拉平。）有一對年輕夫婦，都不超過二十七八歲，昂然而入，被趕了出來，爭執了半天，仍是不行，丟臉是丟定啦，那男的大怒，一拍屁股，轉身就走，丟下佳人，在衆目睽睽之下，又急又氣，以小手帕掩面而泣，踉蹌奔去。他若是一個老夫，絕不致如此對少妻任性也。

美國皇冠雜誌曾對這種日益嚴重的老夫少妻現象加以調查，女孩子們認為，年紀較大的男人，跟年輕的男人迴然不同，一旦和一個年長的男人交往，再回頭和年輕的男人交往，狀如清湯，淡而無味。詩曰：『曾經滄海難為水，除却巫山不是雲。』年長的男人便是茫茫滄海和巫山高峯，小伙子那一套算啥。柏楊先生有一個朋友娶一位比他小十五歲的女孩子，她很少跟她大學時的男同學來往，詰之，答曰：『他們的想法太嫩，我們一天比一天談不來。』

年老固然悲哀，年輕有時候也不吃香，老夫少妻，便是其中的一端。

爲啥喜歡老傢伙

老夫少妻，似乎已成時代潮流，從好萊塢電影上可以得到啓示，理想的丈夫已不再是小白臉矣，（中國電影仍停在小白臉階段，我每看到那些髮亮亮而臉光光的小生，就背皮發緊。）理想的丈夫臉上不再潔淨無疵，而是滿刻着生命軌跡的皺紋，和滿佈着在社會上掙扎蒙上的辛苦風霜。這種婚姻在美國最爲普遍；而在中國社會，似乎也日益增多。從前的人，如果有一位比他小十歲二十歲的年輕美貌的太太，用不着打聽，準是愛妾無疑。而今則不然矣，馬五先生之錯，在他的見識仍停頓在十八世紀也。奉勸讀者先生，如有馬五先生的奇遇，千萬不可亂下判斷。

年輕的女孩子，為啥喜歡老頭，恐一言難盡，而各有各的原因，那原因在局外人看起來可能屁都不值，但當事人却芳心大動。蓋愛情之道，固沒有啥道理可講的。分析起來，似乎勉强可得七點：

一曰　有些女孩子認為年長的男人比較厚道。年長的男人是不是比較厚道，只有天曉得，幹起騙女人的勾當，年輕小伙子絕對瞠乎其後。問題是，即令是騙，年長的男人也比毛頭小伙子騙得她舒服。女孩子只有跟年長的男人為友為妻，才會有一種如坐春風的感覺。昨天柏楊先生所擧的兩例，可窺知女孩子如何嚮往那些待她們厚道的男人，蓋只有中年以上的男人，在社會上碰釘子碰得多了之後，才有如此教養。

二曰　有些女孩子認為年長的男人善解人意。這是一點都不假的看法，毛頭小伙子每天對鏡整裝，連自己想的是啥都不知道，何況其女友其老婆乎？年長的男人，做事多年，天天侍候老闆或顧客的臉色，自有獨得心傳，有一句罵人的俗語曰：『一翹尾巴就知道拉啥屎。』蓋罵其是狗，在心意剛發之時，就知道牠要幹啥。這一點對女孩子最最重要。她一皺眉，他就連忙問儻官曰：『你們洗手間在那裏？』她一咳嗽，他就連忙為她搥背曰：『我陪妳去看醫生！』她提議坐三輪車，他早擧雙手而瞪雙眼，大聲高呼『他哭西』矣；她站在百貨店窗前，剛瞄了一下那項鍊，他立刻甜甜的曰：『顏色眞好！』明天送她作生日禮物。嗚呼，便是皇帝老爺都會被這種先意承旨，揣摩逢迎的弄臣搞昏了頭，何況一個女孩子哉？毛頭小伙子就不行，一則他們個性剛强，不肯爲；二則他們能力有限，想爲也無法爲也。

三曰　有些女孩子往往愛慕已有成就的男人。這種吃現成飯的心理，說她是虛榮也可，說她是榮譽也可，反正有些女孩子硬是喜歡那些已經有了地位，已經有了錢，或已經有了名望的男人。事業好比一條船，如果嫁年輕的丈夫，就得親自下手，並肩建造，弄得滿頭大汗，血流如注，等到好容易把船造好，容顏凋矣，年齡老矣，而且還有一種危險，那就是自己可能坐不上那條船。天下多少夫婦檔，共同創造一番事業，等到功成名就，丈夫需要一個『拿得出去』的妻子，竟把太太趕下了船；誠是年齡相若，助夫成功的女子們一大悲哀。如果嫁給那些已把船造好了的年長的男人，便無此弊。柏楊先生今年春天，老興勃發，曾去陽明山賞櫻，見有一年輕女子，很是面熟，乃多看了她幾眼，事後方知她乃在我在某學堂教書的別班學生，被我看得不好不相認，乃介紹其身旁的老頭曰：『這是我丈夫，某局局長！』不禁大吃一驚，非驚他的官銜，局長那玩意我見得多啦，而是驚她的介紹之詞。我想她實在是掩不住她的驕傲，才脫口而出，如果她丈夫是一位賣擔擔麵的，她能不厭其詳的告訴我攤子擺在那裏乎？

四曰　有些女孩子認爲跟年長的男人在一起談戀愛，能給她們安全感。事實上，女孩子跟年長的男人在一起談戀愛，反而最容易失身。蓋他如果不想得到她則罷，如果想得到她，他會用種種奇計妙策，佈置氣氛，製造情調，安排情況，然後巧言花語，年輕女孩子知道個啥，未有不咕咚一聲跳到井裏者也。在此觀點上，年長的男人絕不安全。不過，話又說了回來，普天之下，除了父親對女兒，兒子對母親那種親情是安全的外，男人根本就不是安全的東西。不要以爲柏楊先生兒女成羣，年已七十有餘，走不動矣，眼昏花矣，便十分安全。嗚呼，那是我沒有機會，如果給我機會，照樣不太可靠。而且一個男人一旦眞的被女孩子認爲『安全』啦，那還不如一死了之。因之這裏所說的安全，乃另有所指。那就是說：只要她不拋棄他，他很少有拋棄她的可能。我們如去法院調查，定有很大發現。柏楊先生僅就眼前觀察，可看出男人的年齡越大，他越珍惜他的女友和年輕妻子。蓋年齡就是資本，毛頭小伙子三易其妻仍正當盛年，老頭便不行啦，他便是想胡搞，年齡也不允許他胡搞。有一則幽默故事可說明此點，一對老年夫婦正在房中對坐，他們的愛犬有一種毛病，每見漂亮的女人在門前經過，一定狂奔而出，汪汪亂叫，以致累得氣喘如牛，丈夫怒而叱之，妻子曰：『不要叱啦，牠老了就好啦，你過去還不就是這樣？』年老給女孩子的安全感在此，固然可悲，却是實情。

五曰　有些女孩子覺得跟年長的男人在一起，她才算眞正的成了大人。天下再也沒有比女孩子更嬌嫩的東西，千金小姐眞像春天屋簷下的冰溜，日曬不得，一曬便消；風吹不得，一吹便斷；手碰不得，一碰便行墜地。父母親友擔心萬狀，扶之撫之，唯恐她無知受騙，那種永不被當作大人的委屈，遇到年長的男人便沒有啦。吃飯時，她說去玉樓春就去玉樓春；買衣時，她說買紗籠就買紗籠；佈置房子，她說怎麼就怎麼。這不是任性，而是被男人發自內心的眞正尊重，毛頭小伙子都是氣大聲粗，自以爲很有點前途，往往不肯相讓。

六曰　有些女孩子認爲只有年長的男人對她才體貼入微。他會像父親照料小女兒一樣照料自己年輕的妻子。我曾看到很多這樣的丈夫，晚上都是自己帶孩子，而讓妻子靜靜的在另一床上做其美夢。僅此一點，可知其苦心，蓋他只有用體貼入微的方法始可彌補他的馬齒徒增。而女孩子就是喜歡這種受用，若換一個毛頭小伙，他自己睡覺都來不及。

七曰　大多數女孩子都認爲，年長的男人有經濟基礎，比較年輕人慷慨。這是現實問題，富小開，不若窮老闆焉，這並不是說女孩子們都愛錢，而是無論戀愛與婚姻，固都非錢不可，坐計程車，不要錢乎？看電影吃館子，不要錢乎？買旗袍，購項鍊，去美國，置房產，均非錢不可。若毛頭青年，剛離開學堂，要從一磚一瓦幹起，自然不會寬裕。年齡使老丈夫抱着歉意，他們不但不喊節約口號，且以肯花他的錢爲榮。

七點分析既畢，似乎仍不盡意。蓋愛情本來就是囫圇吞棗，無法分析。美國皇冠雜誌也曾有文研究這種與日俱增的老夫少妻現象，其結論曰：『初解人事的少女們，往往遇到過色狼，那可怕的經驗使她對一切年輕男人都不信任。而年紀輕輕便遭人遺棄，或離婚的少婦，更希望嫁給一個年事較長的男人，她覺得他會比較負責，會做一個比較好的父親。』華夷雖國情不同，但男女之情則一焉。

刀鍘陳世美

京戲有『秦香蓮』一劇，最爲家喻戶曉，因其大快人心故也。陳世美先生，乃十一世紀宋王朝時的窮措大，可是上帝偏偏看顧他，使他娶得賢妻秦香蓮女士，他在秦女士鼓勵之下，發憤讀書，爲了專心，家事由秦女士一人艱苦操作，若換了別的女人，早離婚去美國嫁留學生矣。而秦女士却一心一意爲丈夫犧牲，如此艱辛的過了若干歲月，那一年，乃大比之年，陳世美先生理應赴當時的首都開封考試，可是他連吃飯都沒有錢，那裏來的盤費？秦香蓮女士乃把家產及身上所有可以典當的東西，統統典當淨光，不足之數，再向親友借貸，受盡羞辱，才把他打發上路，夫婦二人，在十里長亭分手，抱頭痛哭，固生生世世勿相忘也。

陳世美先生的學問眞有一套，到了京城，一下子考取了狀元，事情發展到這一地步，你說下文將是如何？用不著賭一塊錢，任何人都會猜他一定衣錦還鄉，把父母妻兒接到任所，共敍天倫之樂。如果是這樣，那京戲便沒得唱矣。一個大轉變在此發生，皇帝老爺看陳世美先生堂堂一表，又是雙料打狗脫，龍心大悅，乃派人問他是否結婚？陳世美先生雖然是宋王朝之人，却有現代化頭腦，深懂奧援的重要，如果能成爲駙馬爺，有了生殖器的關係，這一輩子就有官做的矣。遂硬說自己尚是一條光棍，乃和公主成親。他閣下是何等聰明，公主既是衣食父母，乃榮華富貴的能源，自然努力侍候，侍候得公主甚爲滿意，陳公自然也做了很大的官，不但忘了他的賢妻秦香蓮女士，也忘了他在故鄉受苦的爹娘。

這時候最可憐的當然是秦香蓮，路途遙遠，她聽說丈夫在京爲官，又聽說已經再娶，風言風語，不敢置信。恰逢家鄉大旱，實在活不下去，乃上奉公婆，下攜二子，一路上哀哀乞討，向京城出發。走到半途，公婆年老，不堪顚沛流離，雙雙病故，只剩秦女士孑然一身，將公婆安葬後，仍繼續前進，這一段戲最爲悽涼，觀衆看到這裏，每每泣不成聲。好容易到了京城，駙馬府是何等威嚴，最初連通報都不可能，又費了很大勁，陳世美先生才算知道。可是，他越想越不對，這豈不是犯了欺君和重婚兩種大罪，而且即令啥罪都不犯，他也不能捨棄天仙化人的公主，而去就黃臉婆。乃把心一橫，一口咬定不認識秦香蓮女士，因之也不得不連帶否認他的兩個親生幼兒，並且爲了根絕後患，索性一不做二不休，派了一位殺手，前往滅口，事情就鬧大啦。

蓋那殺手是有良心之人，詰得詳情，不但不忍心動刀，反而給秦香蓮女士出主意，叫她去告狀，那個時代似乎是司法一片黑暗，你便屈死，也沒有人敢問，幸而有個包拯先生（這一點跟現代不一樣，現代沒有包拯先生那種硬漢矣），不怕權貴，把陳世美先生請將過來，教他收留秦氏母子，陳世美先生口硬如鐵，包公勃然大怒，乃抬出鋼鍘，陳公那時還吹牛曰：『你敢和我金殿面君？』包公乃將其一鍘兩段。

柏楊先生介紹劇情，便介紹了這麼多，好像在寫『本事』，實在是深感每一個男女都應對此『本事』熟悉，故不厭其詳。當包公下令開鍘的時候，戲臺上刀光閃閃，一鍘下去，還有血流出。臺下掌聲如雷，女觀衆固然高興，男觀衆也覺得非如此不足以盡其罪。那件事的眞相恐怕不見得會和舞臺上相同，以今測古，包拯先生便是吃了豹子膽，恐怕也不敢殺皇帝的姑老爺。不過眞相如何，是另一回事，藝術乃表達人類的願望，那齣戲是很多這類戲的其中之一，代表一個家庭的和社會的嚴重問題。這類問題，最易爲藝術家們所取材，元曲中有琵琶記一劇，情節與『陳世美』一模一樣，女主角趙五娘，作者高明先生寫到她飢餓難忍，不得不吃糠一節，曰：『那糠啊！和米是一處飛！』連自己都不禁淚如雨下，桌上燈花，霎時合而爲一，蓋一句話便道出了問題的眞相，和悲劇的主要成因。

刀鍘陳世美，我想沒有一個人反對，但反對不反對是一回事，照着做不照着做又是另一回事，便是把陳世美先生本人弄去觀看該劇，他也會認爲鍘得好鍘得妙。三年之前，臺北某局有一小職員棄妻再娶，他的妻子和他大鬧，拖着兩個孩子，到處哭訴，聞者均泣不成聲，局長大人更氣得義憤塡膺，在會報上痛斥該小職員沒有天良，中華民族五千年傳統的優良道德，全被該小職員毀於一旦，對自己結髮妻子那能翻臉無情，無恩無義，行如禽獸，那種人還能交朋友乎？那種幹部還能用乎？本機關若仍收留該敗類，何以表率羣倫？着即開革，以示本局長維風紀而敦人心之意。通知發出後，該小職員指着該局長的鼻子曰：『嗳，老哥，你別發兇，老子已不幹啦，你管不着老子啦，但老子得告訴你，你以爲我不知道你把第一個太太怎麼搞離的乎？而你第二個太太被一脚踢時，還不是到處請願，罵你閣下賤胚流氓狗娘養的，你都忘啦？老子存有剪報，咱們關二爺馬上觀春秋，走着瞧。』結果局長正人君子了一半，不得不復了他的職，另送一萬元了事。

現代因戀愛自由之故，這種風氣比以前更烈。從前固容易解決得很也，不但有妻妾之制，且有『平妻』之制，兩個太太，都是正式夫人，咱們一般的身價，連領眷糧時，都可名正言順的多領一份，法律習慣，都允許這種怪事。故陳世美先生實在沒有拋棄秦香蓮女士的必要，秦女士飽經滄桑，早已看破世情，假如她也是大學堂畢業，有自立能力，可能逕去找個工作。惜哉，她只是一個沒有受過教育的女子，且在十一世紀那個時代，女子便是學問再大，也沒有用，陳世美先生不收留她，她母子只有餓死。如果他閣下稍微有一點慈悲之心，像現代的大官名流一樣，另備一屋以居之，或另覓一地以安之，豈不皆大歡喜？然而陳世美先生計不出此，難道是他蠢歟？我想他不致蠢到那種地步；難道是他禽獸心肝歟？戲台上演出的都是典型，看起來定是禽獸心肝，實際上他良心上絕不會太戲劇化也。問題是，陳世美先生雖生爲十一世紀之人，却處著二十世紀人的環境，宋人可以納妾，公主肯爲妾乎？宋人可享平妻，公主肯跟一個鄉下黃臉婆共一夫乎？現代女孩子一發現被騙，除了大哭大鬧之外，首先幹的，就是去衙門告狀，重婚之罪，至少坐牢三年五載，誰肯去冒此險耶？何況公主的狀不是告到衙門而是告到皇帝那裏，那才眞是吃不了兜著走，陳公若是娶的小家女，當不致若是之挨鍘也。

抗戰勝利那一年，國立四川大學堂便鬧過一場陳世美，教務長某先生，擁有一如花美眷，把人的眼睛都要羨瞎。却忽然有一天，一位鄉下婦女駕臨，她乃眞正的髮妻，從湖南原籍，歷窮山，渡惡水，萬里尋夫而來，教務長先生也跟陳世美先生犯了同一毛病，嘴硬如鐵。嗚呼，陳世美先生後臺如彼之硬，尚且冒出一個莫名其妙的包拯先生。若教務長者，算啥？首先援助其髮妻的是大學堂的女學生，讓她住之吃之；繼起援助的是新聞界，把教務長形容得一錢不值。結果雖然沒有一鍘兩段，但該教務長却不得不丟盔攅甲，夤夜潛逃。——注意的是，大家痛快了一陣之後，問題並沒有解決，到了暑假，女學生各奔東西，無人再管，且即令生活有人管，髮妻的婚姻問題，固仍在也。

癡心女子負心漢

社會上有一種最普遍的現象，年輕的男子，或二十歲，或三十歲，相貌堂堂，談吐不俗，心懷大志，且頗有點聰明和學識，唯一的缺點是窮兮兮。於是有一個千金小姐在茫茫衆生中發現了他，憐其才而愛其人，認爲他一定有光明燦爛的前程，親友們都警告她不要嫁他，因他家徒四壁，身無一文，豈不是活受罪，一輩子不得翻身？千金小姐獨具慧眼，硬是嫁啦。嫁了後的狼狽之狀，在意料之中，吃啥沒啥，穿啥沒啥，玩沒得玩，樂沒得樂。但二人含辛茹苦，努力不懈。年輕的妻子到某機關或某公司謀一個很小差事，生了娃兒，連吃奶的錢都沒有，仍以其微薄的收入，使丈夫讀大學焉，去美國焉。丈夫對妻子的感激，眞不是言語所可形容，而且指天發誓，非殺身以報不可。而妻子在艱苦中所得到的安慰，也就是這種感激之情，以及將來他飛黃騰達的希望。於是二十年後，妻子因長期的營養不良和操勞過度，指甲脫矣，牙齒落矣，眼無神矣，頭常痛矣，皮膚粗矣，皺紋佈滿一臉矣。反正是一切一切，不復當年，這都是爲丈夫而付出的神聖犧牲。

而做丈夫的因妻子之助，完成學業，且成了大官大商，於情於理，他都應該更愛他的妻子——用不着殺身以報，只要不把她甩掉就可以啦。悲夫，我不知道有沒有人統計，到了這個時候，恐怕硬是甩之的多，更愛之的少也。陳世美先生露的那一手，不過是一個典型，戲臺上他當然被包拯先生一鍘兩段，人心大快。實際上，溫新知故，我想準有點兩樣。貴閣下如果不信，不妨睜開尊眼上下四周，仔細一觀，陳世美先生恐怕多得很。他們不但沒有挨鍘，而且還管着你，向你訓話，教你四維八德哩。而你不但不敢動鍘之的腦筋，恐怕在聽訓之餘，還要猛點自己之頭，以表心服口服。

我有一個表弟，民國初年結婚，執教於我們縣的小學堂，爲人沉默寡言，有儒者風，大家均目之爲聖人，雖因家貧，而年齡又長，未能繼續求學，但上進之心，固未戢也。抗戰軍興後，夫婦逃出，他已將近四十，竟輾轉進了某大學堂，家鄉淪陷，自沒有接濟，教育部的貸金根本不夠餬口，筆墨紙硯，以及衣服鞋襪，全靠其妻爲人洗衣服做針線收入維持。他三年級時，我道經該校，時已深夜，表弟仍在一盞如豆的油燈下苦讀國際公法，而表弟媳則在月下爲人洗滌，髒衣如山，誠不知要洗到幾時也，做丈夫的告我曰：『表哥，我讀書，却苦了太太！』言畢淚下。

夫妻情濃到這種程度，可以說把人羨慕得要死。丈夫對妻子的感激，恐怕再不能有逾於此。他們恩愛終身，白頭偕老，固敢預卜也。獨柏楊先生心中有一個結，在他們那裏坐得越久，此結越是沉重，終於掩面告辭。回到旅店，把見聞告知同行的某教習，教習讚嘆不已，我曰：『你看他們將來如何？』教習曰：『妻子對丈夫如此，仁至義盡，將來丈夫一旦出人頭地，他眞不知要如何相報也。』我曰：『我看不是如此，將來丈夫幸而沒有出人頭地，她還有得快樂，如果一旦不幸而出人頭地，恐怕她哭都來不及。』教習驚問何故，我曰：『十年之後，表弟才五十，只要有錢，仍可風流一陣；且地位既高，酬酢必繁，彼時他太太已五十有五，小其脚而白其頭，黃其牙而皺其臉，又不甚識字，他能一直帶她在身邊耶？』一語未了，教習大怒曰：『想不到你閣下竟有如此禽獸想法，使人毛骨悚然，我算認錯人，咱們的友情到此爲止，你這種人實在可怕。』言畢喚茶房結賬，另闢一間去住，把我搞得無地自容。此教習後來棄教從政，着實做了幾任大官，我方悟出一個人必須隨時隨地，以衞道姿態出現，才有前途；若柏楊先生者，好口吐眞言，屬於時代渣滓者流，理應弄到今天飢寒交迫。

自從和表弟上次一晤，戰亂頻仍，音訊渺然。五年之前，我赴日本辦事，在大阪街上東張西望，以開眼界，竟忽然碰見，他當上了領事之類的官，異地相逢，自十分親切，把我請到他家，臨進門時，附耳曰：『表哥，愼言！愼言！』正驚訝間，一個嬌滴滴的北平女高音在裏面呼曰：『阿秦，你回來啦？我在大門口望了你兩三次哩！』阿秦，表弟小名也，言畢一少婦穿着三寸半高跟鞋，登登登而出，觀其年紀，不過三十，雍容華貴，美麗逼人，那一頓飯吃得可以說驚天下之大扭，該表弟媳知我爲表兄也，一再殷勤探詢她丈夫的家世，我只好撒一大謊包之，曰表弟家有千頃之田，守身如玉，而眼眶子眞高，視普通女子蔑如也，如今果然得一絕代佳人矣。她得意的笑嘻嘻，拚命給我夾菜，臨走時還送了我一套和服，以便浴後穿之，嗚呼，誰說謊話沒有好處耶？

表弟送我歸去，悄悄告曰，表弟媳爲某大官之幼女，大學堂畢業生也。

我問他從前那個太太安在？他曰：『離了婚啦。』離婚二字，本含平等之意，二人意見不合，各人走各人的路之謂，然而獨獨在這種情形之下，却有點不同。用舊名詞，是他『休』了她；用新名詞，是他把她甩掉，把她一脚踢也。用不着打聽，我那前任表弟媳不會另攀高枝。不禁嘆曰：『畜生，畜生，你怎麼忍心？』他曰：『表哥，先別瞎嚷嚷，你如果也有像我這樣的境遇，你敢保證不變心？』我氣餒曰：『然則，你和她硬離之後，茫茫人海，她將何以爲生？』他曰：『我仍暗中接濟。』我曰：『何不謀和平共存？』他曰：『你看我現在的太太肯和她平妻乎？』談到這裏，他忽然說老實話曰：『我不是要離，實在是她太拿不出去。』

這又是一個陳世美，但前面已經說過，從前的陳世美要挨鍘，現代的陳世美却舒舒服服的飛黃騰達，古今之不同，有如此者。可惜的是，那個把我不當人子的教習，未曾親眼見此一幕，否則他雖上吊都不足以彌補他的無知也。這不是說柏楊先生的眼光遠大，而是說，這裏面有一個基本問題，不能靠鍘解決，亦不能靠道德力量解決。如果殺剮可以解決，則陳世美以後無陳世美矣，爲何現代的陳世美反而更多？不但現代的陳世美更多，我跟你賭一塊錢，陳世美這種人和上帝一樣，無時無刻不存在人類社會，地球不毀滅，陳世美不絕種，將來說不定還要更爲精彩。而且你假使稍微有點腦筋，千萬別大聲罵陳世美，說不定你有一天也成了陳世美，也說不定你的頭頂上司便是陳世美，聽得受不了，請你捲舖蓋。而道德上的力量又如何哉？首先我們要認清，現代社會的特質是『笑貧不笑娼』，只要有錢有勢，不要說他只不過拋棄了一個妻子，便是他拋棄了三打五打，都不妨礙大家捧着他玩。倒楣的只是些沒錢沒勢的人，如四川大學堂那個教務長，被輿論打擊得體無完膚，不得不抱頭鼠竄。如果往深處一想，我眞爲他叫不平，很多有力量封報館，關記者或殺記者的偉大官崽，他們露的一手比那教務長更兇，誰敢齜牙？道德標準如果因錢因勢而異，就沒有制裁力量。

故柏楊先生曰，此問題似乎另有所屬，那就是，感恩固可能促進愛情，却不一定能穩定愛情。

愛情老套

希臘神話上有這麼一個故事，普羅修士先生，因爲盜了天上的火給地下可憐的人類，天帝周彼得大怒，（這位天帝周彼得也眞他媽的，看見別人過好日子就不舒服）乃趁着普先生的弟媳出嫁之便，贈她一個小箱，囑她洞房花燭之夕打開，裏面裝着『疾病』『嫉妒』『戰爭』『弒逆』『死亡』『寃獄』等等有翅膀的小蟲，一見盒蓋打開，蜂擁而出，從此人類遂一天比一天糟。可是，幸虧那位新娘子機警，在羣蟲亂飛的時候，急忙關住，把一個最可怕的傢伙關在裏面，那就是『預知』，所以人類雖有百種災難，幸而尚不能預知，否則痛苦就更大。

人類如果有了預知，用不着去摸骨算卦，一眼就可以看到十年二十年後的事，甚至可以看到百年以後的事，那眞是一件殘酷的懲罰。試問有多少夫妻，經得起往將來一看？秦香蓮女士如果當初預見她那最愛她的丈夫，要殺她滅口，恐怕她不會吃苦吃得那麼香；我那表弟媳如果預見到敝表弟到時候竟然硬生生的把她遺棄，恐怕她幹得也不會那麼起勁。或許說不定早散了夥，免得丈夫動歪腦筋。

有一個例子可幫助我們了解，民主政治的主要內容爲自由選擧，沒有自由選擧，說啥都是假的。而自由選擧則也有其毛病，那就是當競選之時，花言巧語，把選民搞得頭昏眼花；而一旦當選，則視選民如公共汽車上的『脚凳』，旣上了車，還管脚凳幹啥？嗚呼，爲丈夫犧牲的妻子，豈也是脚凳歟？做丈夫的像一頭陰險兇惡的巨猩，踩到妻子身上，把妻子踩得血肉模糊，然後爬上高崖，呼嘯而去，固較脚凳更悲更慘。柏楊先生每逢看到一些可敬的太太小姐，爲了幫助丈夫和情人成功揚名，不惜拚掉老命之狀，心中便戚戚焉，痛如刀割。老妻有一侄女，年已三十，其男朋友和她年紀差不多，爲了他去美國，侄女將她所有積蓄，連同耳環金戒，又偸了她母親的十兩黃金，全部賣掉。有一次我在街上遇到她，她正拿着她僞造的她爺爺的信，去她某一父執處借五百元美金，太陽炙烈如火，她連三輪車都捨不得坐，蓋她少花一文，他便可多帶一文，愛到如此程度，眞是無話可說。而今該男朋友去美國已經三年，旣不言返國，又不言接她前往，只在信上表示愛她愛得不得了，索錢甚急，可憐那位侄女，眞是連玻璃絲襪都要賣掉啦。

有一天我實在忍不住，提醒她注意，那傢伙不可靠，勸她另找出路，侄女大怒之餘，罵我老而不死是謂賊，寫了一封航空雙掛號，把我的話不但一字不漏，反而添枝添葉的告訴了該男朋友。她寫那封信，我一點也不驚奇，蓋這是情侶們的老把戲，最喜歡採取此法，以表忠貞。盡在不言中的表情曰：『嘿，你瞧，別人如此這般說你壞話，我都不聽，看我對你多眞心癡情呀，你如稍有一點天良，至少也得同樣報我，不應變心！』該男朋友我是認識的，他果然暴跳如雷，直接給我一函，信上當然精彩，其警句云：『只要有此一念，便如禽獸吾丈竟以之敎侄女，並以之而誣其男友，是何等人哉！』嗚呼，是何等人哉！我不過被那個普羅修士弟媳的『預知』小蟲鑽到腦子裏，鑽昏了頭，說了出來而已。到了前天，我害感冒甚重，躺在榻榻米上哼哼，該侄女跟蹌而至，向老妻哭訴那傢伙已在美國搞上一個學音樂的女學生，結了婚啦。我當時便想問她：『賢侄女，妳不是說我老而不死，而今如何哉！』後來一想，這豈是長輩之道，也就饒她一馬，如是同年齡之人，我就非拉着她的耳朵，請她解釋淸楚不可。

看樣子普羅修士的弟媳，眞是人類恩人，如不是她當初那麼一關，人人皆有『預知』，那簡直要世界大亂。即以柏楊先生而論，我不過僅擔憂可能有某種傾向發生，便搞得不當人子，如果眞是能夠看準未來，好比說，有一對恩愛得不像話的夫婦，我預言曰：『別羨別羨，十年後準打離婚官司。』或曰：『別敬別敬，女的五年後準買包巴拉松放到丈夫碗裏。』咦，你想有啥結果乎？恐怕天天都有揍可挨的，這眞是有學問人的一大悲哀。因記得一個故事，一位秀才得奇人傳授，卜卦極靈，有屁精焉，變化成正人君子往訪，秀才掐指一算，驚曰：『閣下速去，不久你就要臭屁連天。』屁精大怒曰：『我豈放屁之人，空言汚蔑，饒你不得。』一拳下去，把他打得鼻破血出。秀才不服，尾追其後。該屁精走到山坳，實在忍不住，就放了一個大屁，其臭沖腦，把秀才薰得昏迷不醒，如非過往行人抬到醫院急救，定駕崩無疑。

這便是預知的苦惱，雖然預知實現，但仍不免鼻破血出，尤其是常常指出丈夫要忘恩負義，不是挑撥離間是啥？

這裏涉及到基本問題，即：愛情是愛情，感恩是感恩也。愛情可能包括感恩的成分，若某小姐，被某老頭屢拯其危，屢救其命，由感生愛，索性嫁給他，這種事固多得很。若某小伙，被某女士屢助其難，屢援其困，由感生愛，求婚而娶了她，這種事也多得很。但感恩圖報的情愫，只是一粒種子，可能產生愛情，但不一定必然的產生愛情；可能增加愛情，但不能完全靠它維持愛情。婚姻的美滿，夫婦的結合，以及家庭的幸福，建築在吸引力上，不建築在某一單純的因素上。愛情這種東西，是一純感情的玩意，理智的成分較少，男女二人愛到極點時，甚至雙雙服毒，或雙雙跳河，連自己的老命都不要啦。恩人也者，比自己的老命又如何哉，自然拋到腦後；他對自己的生命都不惜，自也不惜辜負他的恩人也。

看過陳世美那齣戲的人往往有一種錯覺，使我們很難一時把它澄清，蓋戲臺上的秦香蓮女士，雖年已四十，而又經過貧苦入骨的窮困生活，但她却毫無憔悴之狀，臉蛋俊俏俏而眼睛水汪汪，脣紅如血，齒白如雪，唱起來悠揚悅耳，身段做工，便不用說啦，雍容華貴，嬌弱婀娜，教人又憐又愛。嗚呼，那當然如此，秦女士是女主角，戲班老闆如果不物色一位色藝雙絕的名旦扮演，豈不連褲子都賠進去哉？於是，問題就在這裏，如果眞正的秦香蓮女士能有戲臺上秦香蓮女士一半那麼漂亮，恐怕陳世美先生不致那麼亂搞，即令受不住公主財色權勢的誘惑，也不致那般絕情。

我想用不著重金禮聘考古學家去研究，憑常識判斷，就可想像得到秦香蓮女士絕非戲臺上那種模樣；長年累月的狼狽，她不得不成爲一個黃臉婆。『黃臉婆』三字，被我們日常亂用，漸漸沖淡了它的嚴重含意，實際上黃臉婆本身就是一場悲劇，無論如何，她不能和公主相比。如果瑪格麗特公主跟臺北街頭穿著木屐，敷著半寸厚鉛粉，滿嘴『幹你娘』的村婦站在一起，你要娶那一個呢？如果你是那位村婦的丈夫，而瑪格麗特公主却硬是愛上了你，問你結婚了沒有？如你尚未結婚，她便嫁你。噫，請指天發誓，你將如何回答乎耶？村婦待你再恩重如山，恐怕你都要躍躍欲叛，便是將來挨鍘都幹，何況又自信不但不致挨鍘，反而會飛黃騰達哉。

富易妻

一世紀時，東漢王朝第一任皇帝劉秀先生的姐姐新寡，看上了宋弘先生，劉秀先生乃把她藏在屏風之後，找了宋弘先生來，挑之曰：『俗話說：「貴易交，富易妻」，人情乎？』宋弘先生曰：『貧賤之交不可忘，糟糠之妻不下堂。』這一個釘子把皇帝老爺碰得臉上掛不住，乃扭頭向他姐姐洩氣曰：『事不諧矣。』事不諧矣者，意即『不行啦』也。

宋弘先生是個怎樣的人，姑不具論，可能眞的像史書上說的那麼好（中國正史，說一個人好時便好得不像話，不太可信），也可能他閣下當時還以爲皇帝老爺在考他的人品哩。我想劉秀先生似乎有點不太熱心幫姐姐的忙，否則問的何以如此咄咄逼人？便是用這種話問陳世美先生，恐怕陳先生也會這樣回答，他敢在皇帝面前冒險哉？否定那個諺語，即令沒有好處，至少可以沒有過失，而且還露了一手：『你看，俺一肚子正人君子思想。有啥大官，賜給俺幹，準沒有錯。』宋弘先生如果聽了之後，竟頻頻點頭，萬一皇帝老爺翻起臉來曰：『你原來如此沒有天良，來人呀！』那眞是禍從口出矣。也或許宋弘先生當時不知道劉秀先生問他那些廢話的目的，他若知道要把公主嫁他，柏楊先生以小人之心，度君子之腹，恐怕他將另是一套論調。史書上沒有記載他事後懊悔了沒有，如果換了柏楊先生，一旦發現竟因端聖崽架子而失去有錢有勢的美貌佳人，立刻就自打嘴巴。

其實宋弘先生並不簡單，他後來因爲亂七八糟給人家考績，不該免的免之，該降的反而升了起來，終於垮台，可知他不見得正派到那裏去。我想他大概沒有摸清劉秀先生的行情，如果摸清劉秀先生的行情，恐怕在回答那話時，要老實得多矣。蓋劉公當初啥也不是的時候，有大志焉，曰：『做官當做執金吾，娶妻當娶陰麗華。』看樣子愛陰麗華小姐愛得發狂，可是當了皇帝，規模不同，固也娶了陰麗華，然而皇后一職，却落到郭聖通小姐之手，後來陰小姐雖然也做了皇后，但那股彆扭，也夠受的。而且，主要的是『多妻之制』救了她，如果那時也跟現在一樣，只能有一個太太，劉秀先生恐怕非甩掉她不可。做丈夫的如果刻薄，便成了陳世美；如果厚道，則現代這種鏡頭多的是，另租屋以居之，另撥錢以養之。可是，不管如何，怨偶已成，悲劇已定，她就永遠打不倒郭聖通，永遠登不上皇后寶座。

但我們寧願相信宋弘先生當時那一番答話是出自眞心，在婚姻關係上，『富易妻』只是一個人常情的趨向，不是一個定律。有高貴情操的人，有他高貴的觀念和行爲，此有些人之所以成爲陳世美，有些人之所以成爲宋弘也。世有陳世美先生那樣把共患難助成功的妻子一脚踢，就有宋弘先生那樣硬是恩愛如一，終身不渝，連皇帝姐姐的賬都不買。現代人中，包括那些參加孔孟學會的學者名流，以及有權敎你道德仁義，而你也口服如儀的大小官崽，如果調查一下他們的婚姻關係，恐怕能氣出羊癲瘋。然而，在千千萬萬現代陳世美中，却昂然的有一位宋弘，和愛妻的感情歷久彌堅，那就是胡適先生，僅這一點，胡先生便爲千載立下榜樣，有些人的成就還沒有達到他千分之一，便嫌黃臉婆不堪入目，非娶一個大學生或留學生不可。想到這裏，順便向胡先生的信徒，以及靠胡先生吃飯的大人先生們建議，別的不說，能在這上面學點高貴的情操，就了不起啦。

問題是，中國五千年傳統文化中有這種高貴情操的人並不太多，古時候得一人焉，曰宋弘先生；今時候得一人焉，曰胡適先生。而大多數人們，都是見了新的忘舊的，見了美的忘醜的，見了年輕的忘年老的，見了識字的忘了不識字的。劉秀先生引用的是一世紀時諺語，嗚呼，大人先生常嘆『人心不古』，一世紀距今一千九百餘年，不能算不古吧，而諺語乃長期觀察世情的結晶，恐怕紀元前二十三世紀堯舜之世，便已如此。這種感情上的毛病，植根於生物的本性之中，與生俱來，根深柢固，簡直很難醫治得好。記不得是什麼書上，有這麼一則故事，一對恩愛異常的丐夫丐婦，男的吃了一頓飽飯後，躺到破廟台階上呼呼大睡，夢見一位神仙，普渡衆生，就上前哀求，神仙曰：『你想要啥？』乞丐曰：『我吃殘茶剩飯，太苦了嘴。』神仙乃賜給他一張吃山珍海味的嘴。乞丐曰：『我穿破爛衣服，太苦了身。』神仙乃賜給他穿綾羅綢緞的身。乞丐曰：『我東奔西走，太苦了腿。』神仙乃賜給他兩隻坐轎子和坐汽車的腿。乞丐曰：『我沒有學問，太苦了腦。』神仙乃賜給他學富五車的腦。他正打算再要什麼，忽然驚醒，見丐婦正偎其旁，乃用英語問曰：『壺啊爾油？』既驚自己果然學富五車，乃大恚曰：『我已了不起啦，馬上就去美國講學，回來後領學術獎金，和洋人打高爾夫球矣。陪伴我的乃如花似玉的美人，不能再要妳這個黃臉婆，要滾快滾，免得我動殺機。』

丐婦給了他一耳光，他才恍然大悟，竟是一個夢，詰得其由，丐婦嘆曰：『可惜那神仙沒賜給你飛黃騰達的命。』吁，險哉，幸虧那神仙沒賜給他飛黃騰達的命，夫妻仍是夫妻，恩愛仍然逾恒，否則丐婦準宣告破產。

這則故事的意義深而且長，往仔細處一想，忍不住爲天下所有爲夫犧牲的女子，灑一把辛酸熱淚。柏楊先生說這些，並不是專門幹洩氣勾當，煽動太太小姐們不要幫助丈夫和男友上進，一則我的目的並不是如此，二則即令我的目的是如此，也煽動不了。蓋愛情能使人發昏，包括秦香蓮女士在內，哪一個太太小姐事前知道恩愛丈夫會動脚乎？她們不但不相信有這個可能，而且還認爲她丈夫或男友是天下唯一的情種，絕不會變心，一旦抖了起來，自己便有福可享，而且還可以向人驕傲曰：『人人都說他沒有出息，獨我慧眼識英雄。』對柏楊先生的話，則嗤之以鼻曰：『我的丈夫明明是胡適，你硬要說他是陳世美，你不是混蛋是啥？』

我們的目的在於說明世界上確實有這種對妻子忘恩負義的丈夫，而且頗爲普遍。誠如劉秀先生所云：這是人之常情。防止這種人之常情的法寶，靠鋼鍘沒有用，靠道德的制裁也沒有用，不是說沒有小用，對懦夫固有小用，而是說沒有大用；靠丈夫指天發誓也沒有用，蓋天下只有愛情的誓最不値錢，五分洋鈿就能買一火車，不可不察；尤其糟糕的是，他發誓的當時，却是眞心眞意，所以就是察也無從察。

問題在於丈夫成功之後，形勢比人强，他需要的不再是刻苦耐勞，蓬頭垢面的妻子；而是花枝招展，雍容華貴，『拿得出去』『不丟他的人』的妻子。在華蓋雲集之際，國宴私聚之時，飛機場上，促膝室中，他要他的太太繼續助他一臂，不但增其光彩，並且如虎添翼，進而跟高階層，甚至跟洋大人拉上關係，以便更闊。共患難之妻，彼時色衰氣粗，往往難當此重責大任。古之人妻不出門戶，而且有『如夫人』制度可以補救，問題還小，今之人短兵相接，恐怕只有請她走路一途。

柏楊先生不是故爲男人開脫，幸福和開脫不開脫沒有關係，而只是說明人性如此。解決之道，在於做妻子的自身。嗚呼，當妳爲夫犧牲時，千萬要在犧牲中努力保持自己的容顏和不斷提高自己的知識水準，以便等他閣下耀武揚威時，派上用場，否則恐怕是非被驅逐出境不可。

濶易夫

關於『貴易交，富易妻』，實在是一種使人淚流滿面的悲劇，古典小說上常有的『花園贈金，高中狀元，奉旨完婚』的夫婦，我總擔心他們婚後的生活如何？做丈夫的一旦抖了起來，當日視爲天仙的小姐不過是一個土包子，再在官場中一混，眼界大開，勢將春色四溢。男人對髮妻的負義，幾乎屬於天賦異稟，越是大傢伙越是喜歡幹些對不起貧苦老伴的勾當。連司馬相如先生跟卓文君女士之戀，都跳不出這個窠臼。卓女士爲了司馬相如先生，可以說受盡委屈，司馬先生窮得連送到絞架上都絞不出一滴油來，逼得卓女士不得不去當女招待。我想如果把他們花前月下，牛衣對泣時的海誓山盟錄音下來，僅錄音帶恐怕都能裝一卡車，其中一定有許多：『我永遠愛妳！』『我不但愛妳，還感激妳！』『妳是我的愛人，更是我的恩人！』『海枯石爛，愛妳的心不變，我願爲妳死。』卓文君女士聽了後如醉如癡，才欣欣然爲他團團轉。如果不相信他那一套，她能爲他拋頭露面，又能跟他過窮日子哉？然而，司馬相如先生一旦有了官兼有了錢，照樣冒出臭男人的老毛病，雖沒有惡劣到把她推出門外，却硬是想討一個更美更嬌的小老婆，卓文君女士乃寫了一篇『白頭吟』，以詩代淚，你說慘不慘也？史書上說司馬相如先生看了那首詩後，良心發現，不再胡思亂想；柏楊先生却覺得恐怕還是問題重重，蓋臭男人一旦動了歪念，簡直是連城牆都擋不住。

女孩子嫁人，好像瞎子下山，天老爺都難預卜下一步如何？依老頭們之意，嫁給一個已經有相當成就的男人，乃上上之策。如果不肯服氣，揀一個窮小子，助他名成利就，大主意既然自己拿，誰都無話可說，但危險就實在是太大啦，必須有高度的智慧才可出此。如果那窮小子只一味拚命的駡柏楊先生混蛋，以證明他不同凡品，當初莊周先生的老婆駡的也是那一套，就更要千萬提高警覺。

然則，是不是男人都是天生的賤骨頭，吃不得三天飽飯乎？一位朋友太太看了柏楊先生的大作，有了理論根據，就把她的丈夫駡得叫苦連天。該丈夫暑後要去美國接受某學堂的名譽博士，他從未出過國門，這一下子旣出國又有學位，誠一舉兩得。但朋友太太不肯，蓋他現在大體上尚算安份，如果一舉兩得之後，或有了官，或有了錢，或有了點知名度。別的小姐一追，朋友太太之垮，固指日可待。朋友太太向我請益，問她做得對否，嗚呼，以她自己的幸福而言，她原則上是對的。

這是女人們的最大苦惱——對丈夫不助之則於心不忍，助之又怕他跑掉，吾無他辭。然而若謂男人天生的賤骨頭，則只能算對了一半。年頭大變之故，從前只有『富易妻』一種學說，好像只有男人才不是東西，實際上如果把夫妻換一換位置，女人同樣當仁不讓，而表演起來，甚而比男人還要叫座。男人之所以首當其衝者，在於五千年來，中國社會向以男性為主宰，女人們雖有『易』一下之心，却無『易』一下之力。於是，所有的罪過都落到男人頭上。時至今日，男女平等，女人可以單獨闖出天下，事情才漸漸別出了苗頭，男人固『富易妻』，女人又何嘗不是『闊易夫』哉？從前的人福氣太薄，看到的全是『棄婦』，洒淚者有之，同情者有之，嘆人心不古者有之；而今『棄夫』大批問世，形勢乃大變。

妻子助丈夫成功，乃是世界上第二等冒險，因其固少有平平安安，圓圓滿滿，恩愛到底的。如果反了過來，丈夫助妻子成功，那乃是世界上第一等冒險，柏楊先生還沒有聽說過誰有好結果的。往往有些自信心非常頑強的丈夫，認為有絕對把握，用盡全力把年輕貌美的妻子捧得光芒四射——或爲明星，或爲歌星，或爲聲樂家，或使她讀大學堂，或使她出國讀洋學堂，或用血汗錢供她搞上一個打狗脫什麼的焉。到了最後，她向他一聲『鼓得白』，其慘狀固比比皆是。

中國歷史上最先公開露一手的女人，是七世紀時南北朝的山陰公主，有一天她向她那當皇帝的哥哥抗議曰：『我與陛下，雖男女有殊，俱託體先帝，陛下後宮數百，我唯駙馬一人，事不均平，一何至此？』皇帝一想對呀，就爲她挑選了五十個年輕力壯的男人，當她的『面首』。嗚呼，山陰公主雖沒有換丈夫，其情況却比換丈夫還更上層樓。她之如此，和『闊』字有關，她如果不是公主，她敢弄那麼多小白臉哉？便是心裏胡思亂想，也只好忍耐下去。但一旦有權有錢，弱者變成了强者，跟陳世美先生一樣，猙獰面貌便露了出來。

柏楊先生積七十年的經驗，發現丈夫幫助妻子當明星，乃自掘墳墓的唯一妙法，我們如果跟誰有仇，不妨去勸他的太太演戲，只要她忽然上了癮，忽然成了什麼『全國第一美人』『全球最大肉彈』『人類最細之腰』等等，他們的婚姻如果不破裂，我輸你一塊錢。我有一位頗有點名氣的朋友，從大陸來臺時，帶來一個不太認識幾個字的丫頭（不是罵人時用的『丫頭』，而是眞正的丫頭），後來收爲太太，敎她讀書，敎她應對，然後魔鬼鑽到他肚子裏，靈機一動，敎她演起電影。我當時就預料她將來一定要飛，他偏偏不信柏楊先生的邪，夫妻倆聯合咒我出天花。然而結果又如之何哉？前些時她在香港登報和他脫離了關係。

電影明星是一個具有代表性的行業，凡是靠自己美貌，以及靠別人投資才有辦法的女人皆屬之。美貌是基本要件，不漂亮啥都不用談。如果遇到柏楊夫人之類，便是拚老命也搞不出啥名堂。但僅是漂亮，如果沒有別人投資，也同樣轟動不起來，必須有人肯拿錢聘她演電影，她才能當上明星；必須有人肯拿錢爲她開音樂會，她才能當上聲樂家；必須有人肯爲她保鏢，打一個電話或寫一封信，就可免稅，或可判決無罪，或可見頗大的官，或可應美國國務院之邀，或可得奬金奬狀奬章以及其他各式各樣亂七八糟的奬，她才前途輝煌。古人云：『食人之祿，忠人之事。』受男人之助愈大，陪男人上床的可能性愈大，離婚的可能性愈高。望妻成鳳的丈夫正在洋洋得意，而玉足已暗暗伸出，要抹油開溜矣。悲夫，有些女人固然沒有做到這一點，但對她的丈夫卻諱莫如深，無論啥辰光，她從不提她的丈夫，這裏面便有點陰謀矣，一個口不言妻的男人，或一個口不言夫的女人，遲早都要豁上啦。

我們可以說，歡場中的女人，本不足道，所謂婊子無情，戲子無義。既把老婆捧成戲子，再要她義，豈不是既要她黑，又要她白乎？其實，便是學問再大的女人，一旦被捧成功，也同樣有可能不安於室。

名聞中美兩國的女作家賽珍珠女士，寫了很多以中國爲背景的小說，我們不好意思說她啥。但前已聲明矣，『富易妻』和『闊易夫』，乃人性中的一環，故對她的敬意固絲毫未減。賽女士由華回國後，她的大作誰也不要，她那個還不知道大禍就要臨頭的丈夫，天天氣喘如牛的手執原稿，爲她東奔西跑，結果把她跑出了名，她跟那個出版商眉來眼去，妻子寫稿，丈夫出書，那不是天作之合是啥？事情發展到如此地步，自然不可收拾，讀者先生中如果有人幸而見到賽女士，千萬別問她丈夫有關中國的事，蓋原來那個在一旁殷勤服侍她寫稿的丈夫，早已三振出局。

柏楊先生有一忘年交的小朋友，年方四十，六年前和一女子結婚，該女子剛高中學堂畢業，家貧無力繼續求學，婚後恩愛異常。該朋友忽發奇想，以自己未受過高等教育，而妻子既漂亮又聰明，何不鼓勵她上進乎。乃實行避孕，送她進大學堂焉，後來大學堂畢業，眞是天作孽猶可逭，自作孽不可活，他再發奇想，又要送她到美國；柏楊先生努力勸阻，小夫婦一齊罵我卑鄙無聊，只好拉倒。於是，今年年初，朋友來舍下鼻涕一把淚一把，他的太太把他敲骨吸髓之後，嫌他礙事，非離婚不可。嗚呼，俗語曰：『不聽老人言，吃虧在眼前。』該朋友之謂也。

山陰公主萬歲

愛情是感情的一種，不是理智的；是直覺的，不是知識的；二加二等於四，七歲時學得，到八十歲都不會更改，再變化多端的人，都不能說到了八十歲，忽然發現二加二等於六。麻煩就出在這上，無論男的愛女的，女的愛男的，二十歲時愛得要命，三十歲時可能恨得要命，四十歲時如果不把對方甩掉，簡直非出兇殺案不可。『富易妻』也好，『闊易夫』也好，每個人心坎深處都有這粒種子，不過有的被高貴的情操遏住，有的被道德觀念和嚴厲的輿論壓住，有的一肚子怨憤之情，只苦於沒有機會去『易』，有的則不管三七二十一，硬是拚上啦。形形色色，均沒捨可吹鬍瞪眼，更沒啥可嘆息斥責的也。蓋這種富易妻，闊易夫的現象，隨着人類文化的進展，一天比一天普遍，一天比一天被人容忍。主要的是，被『易』的一方，往往也有其被『易』的條件存在，即以妳閣下而論，固冷若冰霜的高貴女士也，如果忽然成了山陰公主，有置面首的可能，恐怕也要芳心大動。

山陰公主眞是了不起的人物，她不但有超時代的見解，也有男女不平等的自覺，而且她不把丈夫殺掉，實在是厚道之至。聖崽們對她百般嘲笑，但對皇帝們的亂搞，却不敢多置一詞。蓋抨擊一個女人最安全不過，如涉及到有權的大爺，便有殺頭滅門之禍，聖崽們乃最怕權勢的動物也。可惜歷史上像山陰公主這種女子不多，八世紀唐王朝出了一個武照女士，亦人傑也，未闔之前，委委屈屈守着兩個老頭——李世民先生討她進宮時，已老矣耄矣，李治先生乃一司馬衷型的昏庸人物，嫁給他們父子，簡直要作嘔三天。一個臭男人一旦當官，就要三妻四妾，武照女士當了女皇帝，自然有權弄幾個漂亮年輕的小伙子玩玩，幸而她丈夫當時已死，否則她不幹掉他才怪。

女人一旦狠了起來，往往比臭男人還狠，法國有一位皇后（名字惜忘之矣，洋名彆扭而長，怎麼也記不住），妓女出身。未闔之前，她有丈夫，並生一子，我們雖沒有見過那個丈夫，但可想像得出，恐怕不太高明，後來不知道是他死啦，抑是她背着他溜啦，史書上言人人殊，不必深究。反正是她到了巴黎之後，美麗加聰明，再加上好運氣，竟坐上了皇后寶座，她的兒子那時貧困交加，到巴黎找她，嗚呼，我打賭一塊錢，你絕猜不出那場母子會面的結局是啥。她跟陳世美先生露的一手一模一樣，但比陳公更爲兇猛，陳公不過殺其妻，妻子終非骨肉，而那位法國皇后却是殺其子，把一個活生生的孩子消滅得無影無踪。

然則，果眞是『最毒婦人心』乎？

我想發明這句話的人，當初一定吃過女人的大虧，即以聖人而言，孔丘先生便恨恨有詞曰：『唯女子與小人爲難養也。』爲啥最難養乎，他曰：『近之則不遜，遠之則怨。』翻譯成白話，便是：『親熱一點，她疑心你打她的主意；疏遠一點，她又覺得你這個傢伙瞧她不起。』看情形孔老頭準在女人跟前栽過觔斗，沒有深刻入微的體驗觀察，沒有血淋淋的教訓，發不出如此肯定的言論。

可是，無論如何，女人不一定比男人更毒，即以對異性的殘酷上，男人就兇狠得多矣。世界上母親殺兒子的並不常見，洋大人之國，有上述的法國皇后焉；中華禮儀之邦，有武照女士連殺二子的壯舉。然而父親殺兒子的事，却多如牛毛，尤其是當皇帝的父親，最爲危險，殺起自己的親生兒子來，簡直好像殺王八蛋一樣。歷史上最精采的一幕殺子之劇，出在六世紀後趙皇帝石虎先生身上，他殺他的兒子石宣先生時，把他囚到囚車裏，用鐵環洞穿他的面頰，鎖到車軸上，教人拔他的頭髮，抽他的舌頭，斷他的手足，剜他的眼，剖他的腸。

嗚呼，無論如何，如果說到天下最毒的是婦人之心，石虎先生第一個就不同意。而女人同樣也有此論調，柏楊夫人每逢不如意時，便詈曰：『世界上的男人沒有一個是好東西。』女人一旦闊了之後，把丈夫一腳踢之，和男人一旦富了之後，把妻子一腳踢之的情形一樣，都是那股勁作祟，男人對助他成功的妻子，忘恩負義，有其可以解釋的原因；女人對助她成功的丈夫，忘恩負義，也有其可以解釋的原因。

一個丈夫用了九牛二虎之力把妻子造成明星，一旦成了明星，即令在理論上，她也不單純的屬於家庭，而同時的也屬於社會。某處有晚會，請她表演，表演後大官大商（全是衣食父母）請她消夜，深夜二時，汽車嘟嘟歸來，做丈夫的受得了乎？而丈夫平常所望塵莫及，見面就得必恭必敬的官崽聖崽，妻子可以坐在他們腿上，提其耳而擰其臉，叫他喊爹他喊爹，叫他喊娘他喊娘，妻子又怎麼能看得起丈夫乎？妻子在外，美麗加名氣，自有各色男人繞之圍之，玩之諂之，她只要嚶嚀一聲，羣男無不驚惶而動。回到家裏，又要抓屎，又要疊被，而那位用了九牛二虎之力的丈夫，滿心勞苦功高不合時宜的想法，她還不得不看他的顏色，甚至還要表示一次又一次的感恩，她又何戀於那個家哉？

知識的懸殊，境界的不同，是幸福婚姻的最大礁石，孔孟之徒害人最深的一種學說是

『女子無才便是德』，聖崽們固非常希望別人娶一個大字不識的土包子，輪到自己，他却最欣賞『才姬』，而且常教其最美最慧最可靠的姬妾讀書寫字，以能代抄他所作的歪詩爲榮，使別人又羡又妒，視爲天仙艷福。如果配偶的一方程度太低，俗而且蠢，恐怕便是朱熹先生，都會覺得生趣全無。貴閣下一定讀過『金石錄序』，一定也讀過『浮生六記』，他們的家庭樂趣，全建築在女主角的意境上，如果李淸照女士是個三心牌，如果芸娘是一個目不識丁的灶頭婆，他們恐怕就很難高興起來。

不過，一旦妻子的知識和境界超過了丈夫，那個家庭準亮紅燈。臺北市前數年曾發生過這麼一樁事，丈夫小學程度，妻子則是大學生焉，亂世鴛鴦，每不自然，誰也看得出，男的愛女的，愛得要死要活，但自卑感在心裏作怪，整天提心吊膽，怕她開溜，結果她還是開溜。前面說的那位朋友，把嬌妻硬往大學往美國送，我們不是說任何一個讀大學到美國的年輕妻子，都非跑掉不可，有些人其心固堅貞者也，但跑掉的機會却是大增。我的朋友和他的妻子原來程度相等，可是妻子忽然成了大學堂畢業生，忽然成了美國碩士博士，在社會上鶴立鷄羣，咏西施詩云：『賤日豈殊衆，貴來方悟稀。』她一想，我原來天生稀貨，家裏那個丈夫，不過初中學堂程度，老又老矣，仍是一個小職員，有啥前途，他的頭目見了我都稱我『打狗脫』，報上也稱我歸國學人，而他土頭土腦，上不得枱盤，來生變馬犬相報可也，現在却非換一換不可，某大官大學問家不是向我猛追乎？只要嫁給他，名位金錢，一樣不缺。嗚呼，女人們一旦拿自己的丈夫和別的男人加以比較，做丈夫的能立住脚的甚少，蓋丈夫必須是妻子的驕傲，她才甘心情願，如果提起丈夫她就不好意思，那就離捲舖蓋不遠。

詩曰：『蟬曳餘聲過別枝』，乃『闊易夫』的最好註解，非她心狠，形勢逼得她無廻轉餘地。今年在臺北選中國小姐，柏楊先生有一世侄，力勸其未婚妻參加，我心大驚，蓋父母可如此，親友可如此，獨獨男朋友不可如此。當她落選時，世侄也唉聲嘆氣，如喪考妣，我乃訓之曰：『蠢材，蠢材，她如果當了選，那時候所有不三不四的男人全都冒了出來。她飛美飛英，周遊世界，連國王總統都和她拉手，屆時見都見不到她，你看哪個中國小姐不是把她當選前的男朋友未婚夫一脚踢哉？』該世侄大悟，再拜而去。前天大風雨中，他們結婚，請我做證婚之人，以示感激涕零，咦。

危險的投資

無論如何，妻助夫成功也好，夫助妻成功也好，都是一種危險的投資。有兩位不肯具名的讀者來信，斥責柏楊先生簡直是人倫敗類；蓋如照柏楊先生所言，天下夫婦還有啥意思，豈不是太令人寒心？我想該二位讀者先生一定是儒家正統，否則不致如此義正詞嚴。夫婦間有意思沒意思，是他們自己的事，寒心不寒心，也是他們自己的事。陳世美先生高中頭名狀元，定是孔孟之徒，他却把糟糠之妻甩掉，我有何法？罪惡跟孔孟無涉，反而落到我的頭之上，誓不敢當。

柏楊先生只研究現象，不研究道德，早已一再聲明在案，不信邪的人盡可不信邪。有漂亮妻子的，不妨捧她試試；有年輕丈夫的，也不妨助他試試；柏楊先生的高見，靈不靈試後方知。有些人認爲我把病態太過於誇大，嗚呼，誇大啦還有人不在意，不誇大豈不是更有人不在意乎？柏楊先生不是聖崽，不能說違心之論，亦不能見死不救。

然而我的意思不是勸天下所有的夫婦都不要互相鼓勵上進，不互相鼓勵上進的夫婦，簡直比互相鼓勵上進的夫婦還要糟，那不是一對猪是啥？甘於在既臭且小的圈子裏終其天年，較之轟轟烈烈而垮，還要差勁。我的意思是婚姻中有各種毛病，一旦爆發，即不可救藥。要想毛病斷根，不在於不幫助丈夫或不幫助妻子，而在於自處之道，綜觀歷來那些破裂的婚姻，似乎有幾點是共同的，值得研究。

人間俗不可耐的嘴臉甚多，以『恩重如山』的嘴臉，最教人無法消化。張先生偶爾幫助了王先生，或介紹工作，或借錢度過難關，或作了一次保。嗚呼，這下子他的恩德簡直報不完矣，教你寫告密信你就得寫告密信，教你給他倒馬桶你就得倒馬桶，跟你太太睡一覺你也得讓他睡一覺，否則的話，他到處搥胸打跌，聲淚俱下，宣傳你忘恩負義。歷史上很多叛逆事件，都由此而生，終於逼上梁山。夫婦之間，如果也發生這種情形，妻子當衣押被，把丈夫供奉到大學堂畢業，其功固可上凌煙閣，可是一旦她居功而驕，或居功而怠，動不動就嚷：『沒有老娘，你有今天？』結果恐怕是只剩下老娘，而沒有今天矣。一個丈夫拋掉一個妻子，或一個妻子拋掉一個丈夫，絕不如報紙上寫的那麼簡單。

恃功而驕，在政治上有殺身之禍；在家庭之中，輕則打鬧，重則被踢，反正沒有啥好結果。最糟的是，做丈夫的用妻子的錢上進，那簡直等於自己買條痲繩套到自己脖子上而讓她牽著，局外人往往羨慕他艷福不淺，人財兩得，實際上過的却是喪盡自尊心的日子。妻子初出茅廬做事，拿到薪水，給丈夫買一雙襪子，製一套西服，無論施者受者，都其樂無窮。可是妻子大闊特闊，購洋房，買汽車，送他出國考察，帶他見大人物，猛升其官，他便活在她手心之上。可是做丈夫的如果一旦藉此翻身，而妻子却繼續以為她栽培了他，那不是逼他反乎？

故第一則自處之道曰：必須使雙方的感恩程度平衡，莫名其妙的嘴臉少露。寧可使對方想，不要自己說，說出來便反作用矣。

從井救人，為聖人所不取，蓋咕咚一聲跳將下去，即令把人救起，你豈不跌斷了腿？丈夫幫助妻子或妻子幫助丈夫，拚老命則可，從井救人則需要研究。丈夫闊了之後，美女如雲，溫柔入骨，剛從宴會上回到家裏，赫然有個大恩人黃臉婆在，形狀惡劣，蹺其二郎腿，猛吸洋人之煙，瞪眼怒問曰：『你去幹什麼啦？』嗚呼，她恐怕是非沒落不可，這是屬於兇猛的一型。還有可憐的一型，整天蓬頭垢面，補襪洗被，有好吃的給丈夫吃，有好穿的給丈夫穿，結果自己憔悴不堪，芳齡不過四十，望之却如六十許人，這乃天奪其魄，無藥可救。

古時有這麼一個故事，某一青年才俊，每逢出門進門，必先歪伸其頭，大家覺得奇怪，問他爲啥，他曰：『你們不知，我現在做的是準備工作，將來一旦當官，要戴烏紗帽，烏紗帽有左右兩翅，我如不練成習慣，屆時豈不撞壞？』這當然是一個笑話，但笑話可給我們啟示，爲了減少丈夫將來飛黃騰達後被踢的可能，在幫助他時，一定得同時的注意到自己——注意自己的姿色，注意自己的手不要太粗，注意自己的營養不要使自己太衰老，注意丈夫搞的是啥，如果他將來是要靠洋文吃飯，妳就該努力向他學一點洋文；如果他將來要靠化學吃飯，妳最好努力向他學點氫是啥，氧是啥，以便他闊了之後，無論那一種場合，都可和他並肩參加；無論那一種集會，妳自己也能感到興趣。

故第二則自處之道曰：配偶者，配偶也，一旦不配，便不能偶矣。做妻子的必須時常想到丈夫闊了後，她所充當的角色是啥，然後努力保持自己的容貌，培養自己的風度。尤其少提『想當年』，蓋丈夫對妳的大恩大德，一旦感到怎麼報都報不完時，只有拉倒。

曾國藩先生有言曰：『擇媳宜不如我家，擇婿宜勝似我家。』天底下最倒楣的男人，莫過於娶一個有錢的老婆，他固可因此而不愁吃不愁穿，但那是他嫁了她，而不是她嫁了他，厤煩就出來了啦。一個男人如果能跟女王結婚，可以說爬到了頂尖。可是當上了王夫，又如何哉？若柏楊先生有當王夫的機會，便是每天挨一百大板都幹，但對一個有資格當王夫的人，他也有資格建立一個比王夫更美滿的家庭。嗚呼，女人似乎是天生比男生柔順，從生下來便要找一個權威去佩服，一個小學生一定要嫁中學生，一個中學生一定要嫁大學生，你聽說那個女孩子願嫁不如她的人乎哉？女人物色丈夫，體格要强，口才要好，學歷要高，地位也要高，銀子則越多越不嫌多，跟他坐在一起，聽他東南西北的瞎蓋，好像美國總統親自罵了他一頓啦，他在奇異電器公司的週薪七萬八千美元啦，接著又猛拍胸脯說他至少可活九百歲啦，女孩子自然非愛之不可。如果他說他不識字，以掏陰溝爲業，癩頭而缺唇，口吃而微瘸，她能理他哉？

妻子一旦發現丈夫既窮且蠢，不能使她生愛生敬，她的第一個反應便是怨氣衝天。如果妻子是被丈夫捧起來的，這裏有一則故事可說明她的感覺。柳宗元先生不是有一文章乎，貴州從來沒有過驢，那一天忽然來了一驢，道貌岸然，一臉聖崽之相，甚爲威嚴。老虎見了大驚，試探著接近，驢先生仰頸而鳴，把老虎嚇了一跳，想巴結牠，壯膽再行接近，驢先生又仰頸而鳴，老虎笑曰：『你閣下伎倆不過如此耳。』把牠隆重下肚。嗚呼，妻子低潮期間，看丈夫東奔西跑，左拉右吹，渾身都是解數。一旦發跡，再看丈夫，伎倆也不過此耳。你如果再不知趣，死硬到底，還是要仰頸而鳴，她當然也要把你隆重下肚。

故第三則自處之道曰：做丈夫的必須自强，這强不是說打她罵她，打她罵她更加速瓦解。而是你必須承認今非昔比的形勢，少露夫權。而最最上策者，莫過於你幫助她時，千萬別把她幫助得越過你所能游刃有餘的圈圈，一旦逸出那圈圈，你只好瞪眼。

舌和利刀

俗云：『清官難斷家務事』，蓋家務事錯綜複雜，千頭萬緒，誰都斷不清。而且家庭之內，乃世界上唯一只講情而不講理的地方，不要說清官無法斷，便是上帝都無法斷。丈夫在外面另築香巢，太太或許可以容忍，但丈夫一旦把一口痰吐到地板上，太太却大鬧起來。太太打牌，把丈夫賣血的錢輸光，固沒有事，但吃飯的時候，她沒有喊他一聲『親愛的』，他却暗生悶氣，三天都不說話。關於這一方面，後當再行論及，現在所要說明的是，家庭之內，夫婦之間，如果一旦講起『理』來，那個家庭就成法庭，那對夫婦就非散不可。且舉一則故事以說明之，柏楊先生有一次為人管閒事，妻子告她的丈夫在外面亂搞，手握眞憑實據——丈夫親筆寫的『悔過書』，我一看該臭男人既如此之壞，非拔刀相助不可，乃去拜訪臺北一名鼎鼎大名的朋友兼律師，那律師聽了後曰：『柏老，柏老，你眞頭腦不清，現今之世，除了混蛋，有幾個不向他妻子立悔過書哉？如果這算證據，天下男人都絞死光啦。即以在下而言，我幾乎一個月都要立上一張。』

嗚呼，一點也不假，我的另一個朋友，家有錄音機一架，問他幹啥，他說他最喜古典音樂，收音機上一有播放，他便錄下。聽來如讀文告，固堂而皇之也。可是前天到他家拜訪，夫妻二人同看電影去啦，恰有一匣錄音帶在抽屜中，叨在老友，不管下女抗議，裝上聽聽，却是一段慘不忍聞的悔過詞也。該朋友說他那一天整天都待在辦公室，如果撒謊，他就是狗；如果哪一天他去會『小紅』，他出門就跌斷腿；如果他再和『小紅』來往，他就不得善終；接著向賢妻道歉，是鬼迷了心才叫他認識『小紅』的，從今天開始，每天下午七時前一定返家，逾時則太太有打耳光之權，即令把臉打腫，他發誓連哼都不哼……悲夫，外人看起來事大如天，但夫妻間一咬耳，一擁抱，一說銷魂的話，固啥都沒啥。而外人看起來事小如芝麻，簡直拿不到桌面上，夫妻們却重視得不得了。很多恩愛夫妻終於鬧離婚者，皆由此而起，探討起來，其衝突往往不是基本上的，而又往往不在於『是』『非』，幾乎全在一口『氣』上，既有了『氣』，就講不得『理』也。

夫婦間的事，有一半以上不足爲外人道，有他們所特有的秘密，也有他們所特有的對問題的解決方法，局外人不知道內幕，最好不加干涉。我有一朋友女兒，當初非嫁某甲不可，某甲那人，實在不敢恭維，她父親尤其反對，但女兒硬是要嫁，他也無可奈何。過了不久，有一次某甲把她打得遍體鱗傷，痛哭而歸，老父一見大怒曰：『這還得了，到法院告他。』女兒也泣曰：『非告他不可，他不念我對他一往情深，竟把我打得這麼慘。』父女二人立刻到醫院驗傷，驗傷時老父一把鼻涕一把淚，哭曰：『從小我就不忍心打妳一巴掌，那畜生竟如此狠心，跟他離婚。』當下按鈴申告，如臨大敵。可是當天晚上，女兒一想不對，傷害罪豈不是要坐牢乎？她愛某甲愛得入骨，怎能離婚？想了一夜，不能安枕，第二天畏畏怯怯探聽老父口氣曰：『阿爸，你眞要告哉？』其父曰：『那還用說。』女兒曰：『叫他來賠禮算啦。』老父跳高曰：『不行，不行，妳太儒弱，我非敎訓敎訓他不可，不把他敎訓好，我死了妳有罪受的矣。』女兒大急，悄悄跟某甲來向我求救，我往訪該老頭，訓之曰：『郭子儀先生有言，不癡不聾，不作阿家翁，兒女閨房之言，何足聽也。他們小兩口打架，自願和好，你老頭硬不肯拔腿，要知道你是他們的父親，不是他們的鄰居也。』

該老頭被我一訓，垂頭喪氣，不再說話。但若是眷舍裏的鄰居，如果逢到這一類的糾紛，毒舌出籠，我便再訓得厲害，都沒有用。蓋無論從那一方面，某甲都站不住脚。定有些人曰：『某甲太太對他恩重如山，他那樣待她，這種人狠心狗肺，不能饒他。』說這種話的人自以為很聖崽，實際上他犯了兩個錯誤，一是他對有權有勢的別的『某甲』，却一反常態，恭敬忠貞得很。一是他變成一條光滑的蛇，到別人被窩裏亂竄。夫妻間的事該由他們自己解決，局外人少往裏插脚，柏楊先生有這麼一個經驗，寫出以供參考，我去人家作客，一遇他們夫妻口角，第一步反應便是脚底抹油，兩個人站到門口都堵不住我英勇告辭。蓋我只要一走，便會大事化小，小事化無。我若不走，有第三者在場，夫妻雙方的臉都磨不開，準小事化大，大事化得不可開交。

蓋家庭乃講『情』之地，夫妻間更全屬講『情』之人。當其有了衝突的時候，唇槍舌劍，啥絕情絕義的話都說得出，男的罵女的祖傳奇賤，女的罵男的把骨頭剉成灰都臭而不可聞也。文明一點的雖不致如此上不得桌面，但出口的也盡是使對方臉上掛不住的話。等到吵了一陣，鬧了一陣，都覺沒趣，女的掩面飲泣，委屈萬狀，男的一看，覺得心有內愧，話頭也就一軟，女的聽啦，心裏也跟著一軟，氣就消了不少。於是乎，他讓一寸，她退一尺；她退一尺，他讓一丈。他說他不對，她說她也有錯處；她說她因小孩子鬧火氣旺，他說都是他那頂頭上司不是人害他心情惡劣。一番自咎自責之後，說不定丈夫要下跪，要到處找紙找筆寫悔過書。如果確實是女的錯，則做妻子的或天良發現，或覺得形勢不利，她也會像理屈的丈夫一樣，做出種種嗲態，而且還更多一副眼淚。只要該婚姻在基本上沒有問題，任何糾紛，由夫妻自己解決來得最快。一旦不幸有第三者介入，事情就容易越鬧越大，即令解決，也得脫一層皮。此何故乎？曰：有第三者介入，便不得不摒情而講理，夫妻間一講理，非糟不可。

更主要的一點是，在第三者面前，雙方都要面子，都要維持一種合乎自己身分的自尊，不但不會拿出來單獨相處時自我責備的那一套，反而像兩個敵國的宣傳部長一樣，各人努力宣傳自己的好處。丈夫說他如何掙錢，如何養家，如何忠實，簡直好得天下無雙；妻子說她如何育子，如何持家，如何助夫，也簡直好得天下無雙。說起痛苦來，丈夫固然水深，妻子亦同樣火熱。到了這種程度，第三者如果稍有天良，則應效法柏楊先生，拔腿就跑，丟下爛攤子交他們夫婦自己去收拾，包管第二天該兩個不共戴天的傢伙，笑嘻嘻的請你吃油大。

訂婚也好

『訂婚』這玩意眞是最有意義的舉動，蓋訂婚者，以結婚爲目的而訂定的預約也。好像分期付款似的，先付出一部份，等到結婚之日，再付出剩下的一部份。古之時候，在拘束力上，訂婚和結婚簡直沒有分別，尤其在孔孟之徒及儒家當權之下，做女人大苦特苦，訂啦就等於結啦，從未謀面的未婚夫一旦翹了辮子，未婚妻不但得悲哀逾恒，還要守節不嫁，才算得上『節婦烈女』，除了人人稱讚外，政府還要表揚。儒林外史上那個小女孩甚至被活活餓死。嗚呼，斲喪人性，眞是把女人糟蹋得到了底。

當初是誰發明了訂婚的，史無專書，考察不出，但他的腦筋十分聰明，固可斷言。男女兩個不懂事的孩子，被父母一言爲定，硬生生的拉在一起，一輩子都打不開，誠絕妙之思。不過到了近代，訂婚之風大減，差不多的婚姻都是直接了當結之了事。訂起婚來，不但花錢，而且費事。依柏楊先生觀察，人身上有一件廢物焉，曰『盲腸』；社會上有一件廢物焉，曰『訂婚』。古時候的訂婚，眞有它的作用，如今的訂婚算啥？結了婚的到時候都不算，何況只是訂之乎？柏楊先生年輕時，朋友輩將訂婚比着單掛號，將結婚比着雙掛號，意思說雙掛號信永丟不了，蓋有回執在手，可以大大的放心。單掛號雖無回執，但憑著對郵局的信賴，固相信它不會丟也。這當然是淸末民初的想法，現在時代進步，訂婚不再是單掛號矣，不但不是單掛號，有時候連封平信都不是，不過是一張未塡日子的支票，看著它固教人心跳，但能不能憑票兌出愛情，兌出結婚，却只有聽天由命。常常有幾種現象會突然發生：到時候自己忽然變了卦，不去兌現；或到時候自己熱熱烈烈去兌現，對方却忽然變了卦，不肯支付，成了一張空頭，慘遭退票。幸而雙方都仍然覺得恩恩愛愛，一齊兌了現，但又何必各拿支票一紙，等得那麼久耶？

有些人常把訂婚看得過於嚴重，認爲旣訂婚矣，她便屬於我矣。我有一年輕朋友，他女友想出國想得要瘋，該朋友東奔西跑，頭上都碰出了血，鑽營成功後，又東湊西湊，連脚踏車都送進當舖，把事情搞成，柏楊先生警告他曰：『根據閻易夫之律，小心，小心。』他不服曰：『我們已訂了婚矣。』還拉我去旅館參觀他們的小房間，女的笑臉相迎，呼我為伯。訂婚而同居，在感情上和結婚固無異，但在法律上却硬是有異得很。她終於隨天主教朝聖團出去，朝到了美國，遇見一位有錢的大爺，立刻就嫁，把年輕朋友氣得兩眼冒火。他如果結婚，還可以胡纏，如今連胡纏都沒有資格。

訂婚固然沒有法律上的拘束力，也沒有道義上的拘束力，訂和不訂，分別既沒有，而硬要訂之，豈不是脫褲子放屁，多此一舉？柏楊先生和老妻當初便沒有經過這種莫名其妙的手續，雙方看得對眼，就馬上結而婚之，（媒婆說，老妻嫁我的前一年，還不算太醜，簡直可以說很有幾分姿色，理合聲明，以免誤會。）固不知訂婚為何物也。結婚之後，我發現她簡直教人傷心，她也發現我乃是人類中最不可救藥的惡棍，但既然結了婚，也就只好將就。日子既久，我把她罵我的話當作罵河邊那塊石頭，她也把我罵她的話當作罵對門那個阿巴桑，家庭之樂，固可勉强維持。

但我却是擁護訂婚的焉，聖人既發明了訂婚，必有其道理。古道理和今道理可能有所不同，在古之時，大概和買東西付定金一樣，某家的那個女孩子，俺兒子訂下啦，十八年後前往迎娶，其他任何臭男人不得打歪主意。禮運大同不云乎：『男有分，女有歸』，大家的命運既經注定，就不能再胡思亂想，想談戀愛也無從談起。張女也，是李家的媳婦，你去談一下試試，不但張家揍你，李家也要揍你。其實只要你不致貧無立錐，脖子上也會拴一布條，上寫『某家女婿』。聖人發明訂婚之禮，和聖人發明其他禮教一樣，在婚姻愛情上，把年輕人捆得結結實實，一切由老年人做主，那乃老人是活寶的時代。

但柏楊先生不以人廢言，訂婚似不宜徹底取消。年輕男女在一塊戀愛到不可開交時，一旦談到婚嫁，便直接了當像柏楊先生一樣結而婚之，固然甚佳。但如果能夠經過訂婚階段，似乎對將來的幸福，更有幫助。這一點雖非聖人本意，甚至大出聖人意料之外，但其道理却不容抹殺。蓋訂婚的主要特質是，可以隨便散夥是也。有些洋大人主張『試婚』，把男女二人搞在一起，同吃同睡，共同生活若干時日，看看合適不合適，合適就過下去，不合適就拉倒。這種主張在原理上似乎還說得通，但在事實上却很難辦到，因和現社會的距離太遠，不易被接受。如果採用訂婚，效果固是一樣的也。

訂婚則有試婚之妙，而無試婚之弊。這裏說的試婚，毫無猥褻之意，（聖崽們對性最有興趣，反應也最靈敏，故特別聲明。）蓋戀愛生活，多采多姿，暈頭脹腦，雲天霧地的生活也；而家庭生活，平淡無聊，煩死膩死，葬送青春，油鹽柴米的生活也。二者乃兩個極端，訂婚是其橋樑。

無論男女，一旦陷於戀愛，內分泌就在身上亂冒，所起的變化大矣，吾友莎士比亞曾曰：『天下只有戀愛和咳嗽是掩飾不住的。』一切想不到的行動都會出籠，君不見孔雀開屏乎？平常它是縮在一起的，一旦戀愛，就展覽出來。君不見你家的狗先生乎？平常懶得踢牠都不動，一旦戀愛，不是跳到房上叫，就是跑到門口咬，鬧得一場糊塗。人類亦然，不要看平常日子死氣沉沉，一旦有了意中姣娘或意中白馬王子，立刻就判若兩人。

前已言之，愛情和親情不同。親情愛其强，更愛其弱，一個斷了腿，又瞎又聾的孩子，父母愛他會更加倍。而愛情就不然矣，愛情乃愛其强，不愛其弱。嗚呼，誰要是不服，我就跟誰打賭，不妨去找一位如花似玉的小姐問一下，她愛柏楊先生老東西乎？抑愛年只二十有八，大學堂畢業，又是馬死脫兼打狗脫，腰纏美金七千萬，性情溫柔若羊焉，學問龐大若仙焉，身體健壯若牛焉——那個年輕人乎？如果我輸，我就給你一塊錢，然後你就給我那個小姐。

愛其强既是愛情的要求，則表示其『强』，乃成了戀愛的第一大課，一旦戀起愛來，咦，你看吧，膽小的忽然膽大，打防疫針時連眉都不皺。懦弱的忽然成了大英雄，拍胸脯要爲她而死。吝嗇的忽然慷慨大度，請女朋友既看電影又吃館子又坐計程車。視書如仇的忽然愛書如命，滿口恩比西敵，談啥他都知道。至於女孩子，也同樣顚之倒之，你看那邋遢的忽然整齊清潔，一天坐到化粧臺前至少四個小時。沉默的忽然話多了起來，哇啦哇啦好像剛下了蛋的老母鷄。保守的忽然大講摩登，寧冒摔斷腿的危險也要穿四寸高跟鞋。粗魯的忽然作小白兔狀，平常見老虎都不怕的，這時見了老鼠也要尖聲大叫，以示嬌弱。

大家既努力使自己成爲强者，便不得不蒙上一層僞裝。我有一個朋友，當其女友無理取鬧時，如依他本來性格，早就給她一巴掌，但却硬是不得不忍氣吞聲，以示紳士。嗚呼，訂婚這個橋樑便有此功，訂婚之後男女在心理上會自然而然有一種觀念：『她是我的矣。』或『他是我的矣。』有此一念，戒備便不若以前森嚴，用不了兩年工夫，再狡獪的狐狸，都會露出尾巴，屆時一張支票在手，看情形以定行止，願兌現則兌現，不願兌現就退票。若不經過訂婚這個階段，便不能有這種冷靜。

剝掉僞裝之功

俗云：『熱情如火』，不要說年輕男女在戀愛期間會被該火燒昏了頭，便是老頭老太婆，一旦戀起愛來，也會被該火燒得分不清東西南北。蓋腦海已經沸騰，啥都看不見，啥都聽不進也。也許有些人作虛懷若谷之狀，向你打聽：『你看我那位小姐如何？』這時候就要看你有沒有學問，你若照着他的意思，大加稱讚，五分漂亮的說她十分漂亮，只會燒水煮雞蛋的說她做的紅燒牛肉眞不錯，而且既大方，又雅淡。他準交你這個朋友，馬上請你吃小館。如果你一本忠貞，說了實話，曰『她的皮膚太黑太粗』，曰『她的嗓子像破鑼』，曰『她連小學堂都沒進過』，曰『她性情怪癖，將來你有罪受的。』恐怕勢將和你決裂。蓋任何人一旦戀了愛，他都是借『商量』之名，想聽你說些順耳順心的話。

使沸騰的腦海冷靜之法甚多，但最正常的莫過於訂婚。我有一個朋友，他當初戀愛之時，簡直像赤手捧冰，既怕她化啦，又怕她掉啦，放不下，也拿不穩，小心翼翼，心如搗蒜。（當女孩子的，一生中恐怕以那時候最最神氣。）兩人感情突飛猛進，非馬上結婚不可。但女方家長堅持先行訂婚，把朋友氣得大罵老頑固。想不到訂了婚後，形勢大變，朋友忽然發現女孩子有點鬥鷄眼，而且嫉妒心大得要命，見他看了別的小姐一眼，就大發脾氣，一發起脾氣來，至少板三天面孔，尤其是她一板面孔，下唇向外猛烈突出，實在不堪入目。而女孩子也忽然發現該朋友原來薪水一個月只一千一百元，西裝只有一套，連個脚踏車都沒有，過去花錢如流水乃兩分半利息借來的，而且骨瘦如柴，還有點咳嗽，不是肺病是啥？如此這般，眞相大白，兩人平平安安的分手。如果當初不經過訂婚階段，硬去拆散他們，準鬧出羅密歐朱麗葉。

那麼，有人問啦，訂婚之後，豈不是照樣可以繼續僞裝乎？嗚呼，在理論上固然可以，在事實上卻難了也。諺不云乎，『江山易改，稟性難移』，稟性者，包括先天的個性和後天的習氣。個性不必解釋矣，天生心直口快的人，再大的修養，有時都忍耐不住，硬要開口說出來，甚至招來殺身之禍，都不在乎。而男女間頂多不過解除婚約而已，比起殺頭差得遠啦，他怎能一直裝着沉默寡言哉？天下只有聖人才能作僞到底，大英雄大豪傑都經常露出其本色者也。

習氣固可變更，但在未變更前，會洩盡底牌。

從前有一個朋友，好人也，但毛病也自不少，提心吊膽戀愛了三年，女方對他印象至佳，我也曾被朋友拉到女方之家作過一次客人，見朋友溫文爾雅，舉止中節，循循然若君子，不禁大驚，蓋我知道他擁有種種怪癖，固和女孩子格格不入者也。後來他們訂了婚，戀愛等於打仗，一場鏖戰之後，既已大獲全勝，只等待清掃戰場，他自然很快的鬆懈下來，原形乃漸漸出現。他過去飯後從沒有什麼異狀的，後來突然用牙籤剔起牙來，再後來大剔特剔，以舌吮洞，吱吱作響，有時還用手捏捏剔出的牙穢，送到鼻子上聞之，於是女兒岳父一齊皺眉矣。他過去每天中午都精神勃勃，訂婚之初，還勉强可以照樣支持，不久就打起瞌睡，後來硬是非睡午覺不可，天大的事都不能變更，蓋三十年來都是如此也，於是女兒岳父一齊憤怒矣。該朋友過去一向吹得很大，張部長請他便飯，王局長請他打牌，李教授請他無論如何看一下他的畫展，趙法官請他專門拉官司接線頭，固一世之雄也。訂婚後小姐去辦公室找他，見他獨坐在牆角一張小辦公桌上，其長官呼他爲某科員，若喚奴僕。後來又有一次該朋友單位郊遊聯歡，女眷女友一律參加，更覺得滋味不對，於是女兒岳父聯合調查矣。用不了半年，全盤淸楚。一天該朋友去未婚妻家談結婚日期，被趕了出來。嗚呼，這是十年前的事，憶之恍如目前。我們在這裏檢討的不是得失問題，也不是該朋友糟不糟問題，更不是該女孩子父女對不對問題，而是訂婚固有此奇蹟，可使熱戀中的男女，眼睛稍微一亮。

再厲害的人在訂婚期間都會露出原形，是善良乎，抑是邪惡乎？是直性子的人乎，抑是曲曲折折的人乎？是心直口快，抑是十棒子都打不出一個屁的乎？是喜上進，抑是花花公子乎？都可一一看得明白，只要訂婚後和訂婚前一樣耳鬢廝磨，日常一起，不怕他僞裝到底。伊索寓言上有一則故事可以借用，蠍子過河，想請烏龜帶牠一帶，烏龜曰：『我帶你沒有問題，可是你可不能螫我呀？』蠍子曰：『這算啥話，我螫了你，你一痛，翻身下水，我豈不要淹死？』烏龜一聽，着實有理，乃帶牠過河，想不到過了一半，蠍仍然螫了牠一下，烏龜痛得要命，潛身入水，蠍子也就沉入河底，後來還是烏龜夠朋友，仍把牠救出，責問牠爲何如此，蠍子嘆曰：『我明知道螫不得，可是忍不住還是要螫一下。』蓋稟性——個性和習氣使然也。

訂婚之後，如果是蠍子，總會螫一下，不愁不露出眞面目，而自己也因同樣道理之故，容易被對方看得更爲淸楚。訂婚除了給對方提供一個『照妖鏡』外，別無其他作用。從瘋狂的不顧一切的熱戀之中，經過訂婚，等於開畫展時貼上紅紙條，寫曰『某某先生定』，或寫曰

『某某女士定』，別人一看，縱然喜歡，也只好作罷。從前管你張三李四，來者不拒；既貼上紅紙條矣，別人因有了顧忌，自己行動也就有了拘束，生活乃開始往平淡的方向走。有些臭男人，有財有勢時渾身都是辦法，玉皇大帝跟他結拜兄弟他都不肯。然而一旦恢復平凡，便醜態畢露。土耳其總理門德爾先生當初何等兇猛，德國總理艾德諾先生勸他改變經濟計畫，他答曰：『他媽的，你說啥？』固偉大人物也，可是一旦到了法庭判處死刑，却渾身發抖，那股偉大勁沒有啦。男人如此，女人亦然。女孩子往往認爲男朋友的錢是取之不盡用之不竭的，在戀愛期間固然如此，男人即令去賣血當被，也要花到她身上，小焉者看電影、吃小館、坐汽車，大焉者買鑽戒、買洋房，再大焉者不用說啦，去美國焉，買加州地皮焉，一百萬美元愛情保證金焉。但無論如何，訂婚之後，生活漸趨平淡，男人再有錢，其供應也不會再如從前洶湧，她能不能安於這種生活，用不了太久時間，就會露出馬脚。

但訂婚的生活似不宜過得太久，太久就會百病叢生，如果說訂婚是單掛號，寄出單掛號而一直沒有接到回信，事情準有問題。如果說訂婚是一張期票，逾期太久，即令有存款在，銀行也不會兌現，必須再去加蓋一章。如果說訂婚是照妖鏡，那就更糟。

蓋人總是人，免不了缺點密佈，如果訂婚時間太久，愛火漸冷，則所看的將全是缺點，越想越不對，就非收攤子不可。婚姻生活者，半睜眼半閉眼的生活也，天下沒有十全十美的男女，如果眼睛睜得太久，或用照妖鏡照得太久，恐怕連上帝身上都能挑出毛病。有些人一訂婚就是三年五載，既不把那張畫拿回家，却早早的貼上紅紙條，萬一遇到有個傢伙也看上了那張畫，出了比你高百倍的巨價，你只有跺脚。

聖人們沒有規定訂婚與結婚間的距離，實是遺憾，有人主張最合適的爲一年到三年，柏楊先生認爲大可參考，訂婚不到一年便結婚，等於沒有訂，如果超過三年那就未免太長。超過三年而仍能結婚不誤的夫婦，我看那愛情大概固若金湯。

最好是不

男女們在結婚之前，是不是應該有性行爲？恐怕答案都是一致的，沒有一個人不認爲婚前亂搞，後患無窮。便是最低級的流氓惡棍，在這個觀點上，都會正直可觀，主張非維持貞操不可。如果不信，不妨打聽一下試試，上至聖賢，下至愚劣，包管有志一同。即令他是新潮派，談起來或寫起來滿不在乎，一旦他女兒和別人表了那麼一演，他立刻就會大腦充血。

然而，問題之妙却正在此，自從風行自由戀愛，婚前的性行爲與日俱增。據金賽博士的調查，美國男女婚前便喪失貞操的，約佔三分之二。而瑞典因性教育更爲普及的緣故，比例數也更高。這是洋大人墮落的證據乎？當然非也，假使把中國人也加以調查，可能還有更精釆的比例。不過同胞們習於僞善，可能沒人承認婚前有過荒唐；而女人們的貞潔，更一個比一個有資格吃冷猪肉，我們常聽到的是：『結婚的前一天，我才敎他吻我一次。』事情到底是不是如此，只有自己知道。抗戰前柏楊先生在長沙，有一個朋友，結婚之日，看着就有點不對勁，蓋新娘的纖腰，何其粗耶？當時大家就開了幾句不傷大雅的玩笑，想不到該朋友乃聖人門徒，認爲有損尊嚴，綳起尊臉，嚴斥我們小人之尤，一面叫工友買紙帛花燭，要燒香賭咒，把我們搞得打恭作揖，落荒而逃。結果婚後五個月，生了個胖娃娃，他還以爲我們不知道哩，到十一個月時才做彌月，我們乃聯合送一對聯，聯曰：『一夜提前，小心小眼』『五月生子，大富大貴』，送去後喜酒也沒喝成，被轟了出來。

兩個相愛得要死要活的男女，而且發了滔天大誓，我非妳不娶，妳非我不嫁，在花前月下，或是沒有人的黑暗之處，愛撫談情，久而久之，要想不發生關係，簡直不太簡單。除非他們不是人，而是兩塊冰冷的石頭。這跟道德不道德扯不上關係，完全是一種生物本能，沒有這種本能，人類早絕種啦。猶如孩子們在開飯前先到廚房撈一塊肉到嘴裏，你說他道德乎不道德乎？他不過把一定給他的東西，早一點支取而已，那本能往往難以控制。記得有一個電影，窮光蛋的男主角發了脾氣，富家女的女主角去安慰他，他曰：『只有一件事是妳可以給我安慰的，然而妳不肯。』她既愛他入骨，還有啥不肯的，於是就如此這般安慰了他，結果鬧了個雞犬不寧。我們斥責那男人乎？曰：不。到了那個環境，每個男人都會那樣。我們埋怨那個女孩子乎？曰：也不。只要她有一絲愛心，每個女人也都會那樣。

結婚之前就發生性關係，如果一定能做到她嫁他，他娶她，還不十分嚴重。嚴重的是，一旦她不嫁他，他不娶她，問題就會冒出來。當隆重上床的時候，固然是非嫁非娶不可，男人不打算娶那女孩子而胡亂求愛的，雖不能說沒有，但女孩子如果不打算嫁那個人，却很少會把身體給他。不過愛情本質多變，當初那股眞誠之勁，連泰山都能推垮，可是到了後來，一月兩月，一年兩年，或女的遇見一個更英俊的焉，或男的遇見一個更漂亮的焉，從前說的海誓山盟便統統不算數啦——嗚呼，誰能記得三歲半時在幼稚園發表過的言論乎，那都是很遠很遠以前的事，不但記不得，縱然記得，也再打不動心弦矣。

婚前的性行為，不冒出問題則已，一旦冒出問題，吃虧的多半是女孩子。不要說到時候娶不成嫁不成，便是娶得成嫁得成，也留下一敲便碎的裂縫。閣下記得車啟亮先生鎗擊他的太太李女士乎？一個男人向女人開鎗開砲，實在高明不到那裏去，柏楊先生還是老腦筋，老婆眞的不像話，揍之可也，離之可也，甚至恕之可也，似乎不必全盤西化，搬出新式武器去幹。但車先生有句話却發人深省——尤其發女人深省，他曰：『那賤女人，我和她認識第二天便發生關係。』其對李女士的輕視和不信任之情，灼然可見。夫妻之間，或愛人之間，一旦在人格上瞧不起對方，愛情就要取消。好比一個貧窮之家，甕中已經無米，孩子且發高燒，丈夫有貪污的機會而不貪污，把送到門上的銀子都扔出去，妻子固恨他入骨，但無論恨到什麼程度，甚至一輩子不跟他講一句話，愛的基礎仍在，她對他固仍有敬意。如果百萬富翁的太太忽然發現她丈夫竟是小偷，而且不時被縣太爺打屁股，她能不輕視他乎？

男人乃天生的莫名其妙的動物，女人如果不輕易答應他，會把他氣得發瘋，大罵她不愛他。但一旦女孩子愛他愛到極點，用不了三言兩語，就把身子供獻，他却又覺得她不値錢。女孩子在這方面如果不能把握得住，便是再如意的結局，像車李二人，結了正式之婚，都拂不掉滿身羶腥。我在廣州任職時，有某朋友，夫婦間百般恩愛，後來不知怎麼搞的，男的忽然疑心太太紅杏出牆，大鬧特鬧，鄰居街坊，都爲之不安，一些老朋友，包括柏楊先生在內，聞訊後紛紛前往勸解。我曰：『老弟，你未免太低看了她，你太太端莊聖潔，豈是隨便苟且之人？』想不到他大怒曰：『她端她娘的莊，我認識她第三天便搞了她。那時她的男朋友是個窮教員；而今那臭男人有汽車有洋房，她恐怕用不着第三天便跟他上了床。我上輩子不知道造了啥孽，教我碰到這種女人。』我看苗頭不對，倉惶撤退，一路上不禁爲那個千嬌百媚的太太難過，她當初如果不那麼溫順，便是再嫁三嫁，任何男人都不敢對她瞧不起。後來他們終於離了婚，如果不離婚，丈夫既如此看妻子，並公開嚷嚷，感情已無法恢復，痛苦勢將更深。但離了婚後，那少婦背上了容易脫褲的名兒，也不好過。

人間的悲劇，可以說五花八門，各式各樣，沒有一樁不使人傷心落淚，仔細考察原因，會發現多數悲劇，都不是一朝一夕造成。喜劇可能刹那間發生，悲劇往往是累積的，尤其是人倫悲劇，差不多都需要長時間的培養，造孽造夠啦，才結出果實。妻子買包砒霜放到丈夫碗裏，絕不會是她一時心血來潮，而一定有其醞釀過程，和入骨之恨也。但是有一種悲劇用不著費多大勁便可發生的，那便是婚前有性行爲而結不成婚，這種情形最爲普遍，廉價小說上幾乎全是這類故事，只要一念之差，便好像從樓頂往下扔鷄蛋。

上帝當初造萬物時，其心理狀態，值得研究，人類如果能像鳥類或魚類一樣，生孩子時，或下蛋，或產卵，世間將抹去多少眼淚乎？可惜他老人家硬是教人類懷胎十月，而且把這樁重擔放到女人身上。別的不說，僅婚前發生性行爲一點，女人眞是冒天下最可怕的危險。一個未婚女孩子向男人獻出身體，簡直應得最佳勇氣獎。問題是一旦男的對她變了心，而她又懷了孕，嗚呼，便是服下十斤巴拉松都沒有這般嚴重，它足可以毀滅一個女孩子，更足可以毀滅一個家庭。女孩子一旦到了這種地步，那不僅是一幕悲劇，而且是一幕慘劇，啥安慰都沒有用，縱然不自殺，她這一生都不能忘記這場羞辱的創傷，會影響到她對整個人生的看法，因而種下別的悲劇的種子。

有一天，柏楊夫人去看她的表妹，回來後面色悽涼，好像剛被三作牌修理過，原來她表妹的幼女，最近常和男朋友外出，一夜一夜不回家，把媽媽愁得茶不思飯不想，可是女兒還訓媽媽哩：『他不是那種不負責任的人，我既不是傻子，也不是瞎子，妳爲啥不放心？』這種論調，流露出至愛和至誠，擲地有金石聲焉，眞應刻到石碑上，令天下所有薄倖男人一讀。該女郎的前程如何，目前還在發展階段，尚不知道，也不敢預料。老妻見過她的男朋友，看樣子跟柏楊先生差不多，亦有學問的人也，而且表妹之女又美又慧，可能成爲幸福佳偶。但問題是，並不因她幸福就沒有研究餘地，我們要弄淸的是，哪一個悲劇的女主角當初不是如此這般，頑强的自信乎？有幾個明知對方不可靠而仍答應他哉？皆以爲自己非常不傻、非常不瞎，結果才肚子膨脹，故該表妹之女如果幸福非凡，固然很好。如果一塌糊塗，狼狽萬狀，我也不覺奇怪。

柏楊先生絕不認爲婚前的性行爲有啥不道德，但却認爲在全部愛情生活中，只有這一件事必須用點理智，必須有點功利主義。證明愛得要死之道，不一定非陪他上床不可，如果能隨時想到那可愛的男人可能一下子會翻臉無情不認賬，那麼，柏楊先生建議妳：『最好是不』，記此四字，受用無窮。

治棄妙法

一個女孩子如果肯定的知道她已屬那個男人，而那個男人也肯定的知道他一定要娶她。兩個人在婚前要想保持君子風度，不動手動脚，恐怕比登天都難。柏楊先生有一位朋友，北方人也，全家住在一條長炕之上，有一天，他們的未婚女婿來訪，白天當然盛大招待，晚上當然上炕安眠。民國初年，雖然仍很閉塞，但風氣總算漸開，且小門小戶，也無地廻避，小兩口難免談了幾句話，丈母娘看到眼裏，急在心頭，入睡之後，她老人家一會坐起來，吸一口旱煙，停一會再坐起來，再吸一口旱煙，表面上是吸旱煙，實際只是借着點煙的微弱火光，觀察觀察那對年輕的未婚夫婦擠到一個被窩裏沒有？後來被我知道，就對她大開訓誡。

該老太婆幸虧生在民初，如果生在現代，眼睜睜的看着她的女兒和男朋友出去談戀愛，談到深更半夜還不回來，準得心臟之病。

老太婆的行動看來有點頑固，但其用心甚苦，值得做兒女的灑淚。老年人的顧慮總較周密，一個人年齡越大，所見的奇事也越多，熱戀中的女孩子死都不會相信那可愛的男人會變心，事實上大多數女孩子的看法都沒錯誤，據洋大人的調查，婚前發生性行爲的男女，有百分之九十七結爲夫婦。這眞是一項好的消息，蓋結爲夫婦之後，固然仍有前述的被揭瘡疤的危險，但並不每個人都要揭，不到恨極，絕不會那麼狠心傷害自己的妻子也。一旦丈夫不愛妻子，縱然沒有那瘡疤，他照樣有別的藉口。所以差不多的夫婦，都恩愛到底。柏楊先生便遇到很多這樣佳偶，他們結婚前明明開過旅館，可是硬是發誓絕對清白。抗戰前有一位同事結婚，我悄悄問他曰：『你們婚前有沒有過關係？』他大怒曰：『你說的啥話，怎能以小人之心，度君子之腹，我們豈是禽獸？』我不禁大驚，蓋他婚前一年，情書往返，多如牛毛，有一封落到同事手中，大家偷偷瞧之，內有女孩子的警句曰：『我願明年此日，生下你的孩子。』這一類的事太多啦，讀者先生中如果有興趣的話，不妨逐個朋友打聽一下，恐怕一律都是聖崽，賭咒二人在婚前連挨都沒有挨。我們無意斥責他們說謊，這樣做恰是正常，而且足以說明婚前性行爲並不鐵定的非招來惡劣結局不可，該幸福的仍照樣幸福。

問題只在那百分之三，如果按照比例數來講，百分之三眞是微乎其微，但這玩意比不得買馬票，買馬票的人中了固高興，不中時也不致傷筋動骨。而婚前性行爲的賭注却是終身幸福，而這賭注還有奇怪之點，贏了的時候不過贏得一個丈夫，而丈夫的好與壞，如意和不如意，一時還說不定。但一旦輸啦，那就慘矣慘矣，非常之慘矣。報紙上對這類新聞，用詞都是一樣的，法院對這類官司的判決，用詞也是一樣的，曰『始亂終棄』。這四個字研究起來，頗有點教育作用，蓋要想終不被棄，最好是始不被亂，這是我老人家發明的避免愛情悲劇的妙法之一，立此存照。

從前結婚，都是奉父母之命，現在結婚，很多是奉兒女之命。一對年輕戀人，戀着戀着，女孩子的肚皮凸了起來，根本沒有結婚打算的，不得不結婚；本來不預備馬上結婚的，也不得不特別提前。運氣好的懷胎一年，運氣不好的，結婚才五個月，便降下麟兒。報上不是有過這麼一個新聞乎，台中某姓結婚，新娘抱着絕大的一束鮮花，輕移蓮步，正進禮堂，忽然肚子作怪，全體賓客都以爲她發了絞腸痧，只有新郎明白是怎麼回事，急招產科醫生，才算徹底解決，大家乃改吃喜酒爲吃紅蛋，兩件大事併作一次舉行，皆大歡喜。

上述的還是普通小民人家，若電影明星，恐怕更有絕招，有一個什麼后的女士，不是先到美國產子，再回香港嫁人乎？丈夫是不是那兒子的父親，言人人殊，我們無法考究，但有一件事却很有意思，她結婚才一年，孩子已三歲有餘，可見這種風氣果眞摩登得很也。

很顯然的，很多人認爲婚前的性行爲是『拴』對方的奇計妙策，一個熱戀中的男人，尤其情敵甚多的時候，心神不寧，六魂顚倒，必須摟女入懷，才會覺得河山已定。我在某衙門做事時，曾住過一個時期的單身宿舍，同房間有一位陸先生焉，正在苦追一位校花，追得天昏地暗，日月無光，常常半夜爬起來團團轉之。可是有一夜他忽然平安無事，第二天還蒙頭大睡，把他叫醒，他一面揉眼一面哼曲子哩，我曰：『你準和你的女朋友上了床？』他曰：『胡說。』我曰：『好小子，你瞞不了我老頭。』他才俯首認罪，從此國泰民安，結而婚之，一對神仙夫婦。男人似乎總覺得女人如果決心嫁你，一定會獻上身體，否則便不可靠，而使多變的女孩子唯一不變的妙法，莫過於獲得她的貞操。

在女孩子方面，往往也有這種觀念，『駱駝祥子』上那個老闆的女兒虎妞，便是用性行爲拴祥子，她向他厲聲曰：『我肚子裏有了你的孩子。』然後再向父親哀號曰：『我肚子裏有了他的孩子。』做生意的人憑條取貨，虎妞女士者流，則憑胎取夫。其實虎妞女士啥胎都沒有，只是急着要嫁人而已。不過這誠是女人最厲害的一着，男子如果走了霉運，被誘進圈套，那恐怕是鐵定的要砸鍋，蓋任何人膽敢拒絕和大肚子女友結婚，全世界都會要他的老命。

不過，用性行爲拴對方，乃天下最羅曼蒂克的冒險，比大吃河豚還教人心驚肉跳。沉溺於愛情而做出那事，已經夠糟，裏面再埋伏着陰謀詭計，好結果的不多。吾友郭衣洞先生大作『愛與恨的研究』一文中，曾有言曰：『用婚前性行爲去拴對方，拴得好拴一個丈夫，拴得不好的拴一條毒蛇。』

人生可戀

前些時台北上演過一個法國電影曰『春江花月夜』，老頭兒臨死時，朋友前往病榻送終，他曰：『我留戀的是人生那些小小情趣。』這句話道破了人生趣味的奥秘。有時候，我們常想，若某種人，活着有啥意思？——小孩子以爲中年人沒意思，中年人以爲老年人沒意思；但各有各的天地，各有各的境界。中年人雖不能撒尿玩泥，却可跳舞追女人，膽大的還可搞搞政治，甚至搞搞革命，其樂至少可跟撒尿玩泥相埒。老年人看起來如槁木死灰，但回顧小伙子們跳來跳去，也實在幼稚可憐，且幾個老頭兒聚在一起，比少年們聚在一起，還要荒唐。人之所以能有勇氣活下去者在此。柏楊先生於清王朝末年，旅行河西走廊，發現當地人民奇苦，『全家都在土炕上，冬天棉褲未剪裁。』蓋河西一帶，自烏稍嶺直迄星星峽，流沙千里，穹不見人，偶有人家，謀生困難，冬天時男女老少一齊蹲在土炕上，炕上鋪着細沙，大家屈着雙膝，以羊皮裹身。必須出戶時，炕頭置有棉褲，才可穿之，公幹已畢，回家後第一件事便是脫下來，放回原處。嗚呼，這種情形，一直到一九三九年仍是如此，沒有太大的改善，慘絕人寰。有一次和一個官崽提及，他竟前仰後合，看樣子我如果不承認惡意造謠，他就要斷了筋也。

但他們照樣快快樂樂的活下去，柏楊先生曾在某一家住了一星期之久，初則覺得他們簡直不如去集體上吊，可是後來該地下棋之風甚盛，我的象棋很有一手，到今天都無人可敵，把他們殺得血流成河，後來就不斷被邀應戰，往炕頭一坐，一局在前，簡直南面王不易也，輸了的人便來請教秘方，贏了的人則歡天喜地。回到北平，正想找某教習詳陳種切，他却先告一事曰：『剛才和一位美國大亨談話，他參觀了我們教職員宿舍，告我曰；想不到你們過着如此簡陋生活，不如死了好也。賢弟，我却覺得活得也滿好呀。』聽了之後，心中一驚，那美國佬把北平也當作河西走廊矣。後來在美國，看見洋大人那種孤寂而緊張的幹法，不但無味，也實在可怕，雖給我一塊錢我都不幹。（教我改成美國的生活方式我不幹，教我去美國當寓公我幹。）

每個環境都有他的生活情趣，靠那種情趣維持生命，也靠那種情趣使感情平衡，一個沒有情趣的人，往往難以接受人生；而一個有情趣的人，他的彈性就大得多啦。對一個家庭而言，更是如此，夫婦間如果有的是小小情趣，他們一定是和睦的焉（但不能說不打架），一定是溫馨的焉，一定是碎不了離不了的焉（發起脾氣鬧着非離不可，則不能免），也一定是快快樂樂使人稱羨的焉。

昨天一個朋友警告我曰：『你怎麽總是反對傳統？須知反對傳統便是思想有問題。』着實嚇了我一大跳，特此隆重聲明，我並不『總是』反對傳統。有些傳統很好，我還誓死擁護；但有些傳統過份的斲喪靈性，便忍不住掙扎一下，豈敢『總是』『反對』乎哉？目的只在掀開那張薄紙往裏瞧瞧，到底是啥花樣？把幾億中國人搞到今天這種境地，實在教人想不通。

斲喪靈性，首先自家庭始，大人先生率領魚鼈蝦蚧，用種種辦法，把家庭中夫妻父母子女間的情趣，剝奪個精光，只剩下赤裸裸的『名分』，弄得從根部往上爛。不知是那一個傢伙發明的，曰『寢不語，食不言』。眞是殺人不見血的惡毒手段。柏楊先生小時候，有一次去表舅家串門，表舅書香門第，禮樂傳家，標準的大儒是也，在別的方面他亂搞不亂搞我不知道，但在寢不語食不言上，却是謹遵聖人之訓，認爲是齊家、治國、平天下的不二法門。悲哉，你看那種進餐場面吧，好像他們家裡有誰強姦殺人，剛破了案，飯後就要綁赴刑場處決似的，一個個垂頭喪氣，呆呆看飯，顫顫挾菜，如臨深淵，如履薄冰。我忍耐不住，當時便叫曰：『表舅，你看那貓拉屎到鍋子裏啦。』全家大驚，非驚貓拉屎也，驚我沒有教養也，不過那一天幸虧我沒有教養，如果我也有教養，他們全家都要吃貓先生的大便。晚上入寢，我本來想跟表兄談點離情，想不到所有的人上了床便同一塊燒焦了的木頭，雖然有氣有味，却硬是不講話，教人元氣盡泄。第二天便倉惶告辭，發誓永不再來，想不到該表舅反而向我父親打小報告，說我許多差勁之處，他媽的。

一個家庭一旦進入『寢不語，食不言』之境，那就慘絕人寰，蓋世界上只有兩處是『寢不語，食不言』的，一處是軍營，一處是監獄也，溫暖的家庭竟成了軍營監獄，弄得每一個人都得嚴守紀律，誠惶誠恐，連一分鐘鬆懈都不能有，不如跳河算啦。

實際上飯桌和床頭乃是最最充滿情趣之處，夫婦一天不見，晚上可能還有約會應酬，只有飯桌和床頭是安安靜靜談心的地方，不但可以談兒女情長，而且還可以談天下大事，若明天你投誰的票乎？若下個月買不買電視機乎？尤其是，丈夫下得班來，往飯桌旁一坐，一面狠吞虎嚥，一面傾聽妻子嘰嘰呱呱報告孩子的動態，『他會叫爸爸哩。』『他呀，淘氣得要命，今天爬到桌子上哩。』『你說怪不怪，他還說夢話哩。』然後你就告訴她辦公室內發生的各種奇情異景，若某官崽端架子端垮啦，某小姐和某組長某科長以及某什麼長起衝突啦，某件事情鬧大啦，如此這般。其心曠神怡，恐怕是孔丘先生家裡所從沒有的。

家庭裏充滿着層出不窮的小小情趣，才是一個正常的和健康的家庭。小小情趣者，外人看了會肉麻，會嫉妒，會羡慕，反正是不太順眼。但當事者却有無窮受用，飯桌上談談風情的話，談談愛情的話，心裏一舒服，說不定就多下肚兩碗。柏楊先生鄰居有一對夫婦，已生兒女二人，可是吃着吃着，丈夫忽然擰一下妻子的臉蛋，惹得小女兒大吼曰：『打死爸爸。』有時候兩個人的赤脚在桌下相搓，一面笑，一面吃。隔着窗子，看得我老眼發直。在我的辦公室裏，有一位女同事，年齡二十四五，漂亮得不像話，丈夫却是四十五六歲的中年男子，兩人感情好得也不像話。有一天，星期日加班，我聽她打電話，最後曰：『你乖乖的在家，等我回來，我給你買了一包沙其馬。』我問曰：『打給誰？打給妳小兒子？』她曰：『不，打給我丈夫。』嗚呼，那個當丈夫的傢伙，不但娶了一個漂亮之妻，還娶了一個懂得風情之妻，奪盡人間精華，你說他該死不該死吧。當時柏楊先生便雙目流下虎淚，蓋敝老妻俗而且頑，此生只好休矣。

形容閨房之樂，有一句話最爲結實，曰『溫柔蝕骨』，如何才能蝕骨？那就完全靠小小情趣。夫妻相愛，與閱兵大典不同，不能一本正經。一個人如果在家裏也道貌岸然，端其嘴臉，不必分屍研究，他可能是一個聖人，但他絕不是一個好丈夫好父親和好兒子，因他滿身都是聖味官味，獨沒有人味也。尤其是蜜月一過，『老夫老妻』的勁開鑼，能使人傷心欲絕。君不見有那麼一則幽默對話乎，新婚夫婦下火車時，新娘告新郎曰：『親愛的，別那麼擠，教人以爲我們像老夫老妻才好。』新郎曰：『就這麼辦，妳提着這箱子。』提箱子不過是一個開始，接着便進入啞巴階段，『寢不語，食不言』矣。差不多的家庭都是這樣，除了孩子們叫鬧，大人之間簡直沒有啥可交通的。我有一位女學生，在某單位任職土壤調查，單獨出動時，就借居親友家中，有時一住就是兩月三月，短者也在一月左右，前些時她來聊天，告曰：『有一件事眞是奇怪，我住過的不下二十餘家，發現了一個問題。』問她啥問題，她曰：『二十餘家中，至少有十餘家，夫妻子女間落寞如路人，下班下學之後，沉沉悶悶吃飯，然後在客廳中呆坐如木瓜。或看報，或聽收音機，或跟客人勉強應酬，然後默默上床睡覺，沒有幾家談談天的。』

嗚呼，該女學生眞是有頭腦之人，她指出的是一種普遍的現象——家庭之中，成了啞巴世界，連談談天都沒有，更不要說別的啥花樣矣。在那種氣氛中過半輩子，定是前生作孽之報。蓋這類家庭乃是婚變的溫床，亦爲產生怪癖孩子的溫床也。不遇外力震盪，則苦兮兮窩囊一生，遇到外力震盪，（如做丈夫的碰見美女，做妻子的碰見有情調的男人）恐怕是非砸鍋不可。

滾到十八層地獄

晉王朝有清談之風，把王朝都談亡，那股談勁使人起敬，無論大人先生和魚鼈蝦蚧，無論官崽和聖崽，無論武夫或文棍，每天坐在榻榻米上，前面放着一個吐痰用的唾壺（他媽的），手裏拿着一柄戲臺上諸葛亮先生拿的那種拂塵，或兩三個人，或一大羣人，一言不合，就談將起來，談到興起之處，把唾壺都打得稀爛。一旦遇到敵手，你不服我，我不服你，便用拂塵猛敲桌子，甚至大打出手，打得『塵尾盡脫』。不過最精華的部份，却不是這些，而是談話的內容——事實上根本沒有內容，只不過在詞鋒上兜圈子，兜來兜去，不過『殺時間』罷啦，時間統統被清談殺光，無心管理衆人之事，怎能不把政權談沒有了乎？

然而，在很多地方，『國』和『家』是兩個對立的東西。對國家有害的玩意，對家庭却頗有益，清談便是其中之一。此物固可把姓司馬的晋王朝談垮，但用到家庭中來，不但談不垮啥，反而能使家庭更爲興旺，更充滿活潑和盎然的生意。古之家訓，以讀書聲和機杼聲來判斷該家的盛衰，在農業的而且是封建的社會，固然如此。現在看來，似乎得另有說法，機杼聲早已沒有啦，讀書聲屬於惡性補習，正常教育不會逼着孩子回到家裏仍死啃書本。眞正溫暖而興旺的家庭一定有兩種新的『聲』焉，那就是笑聲和談話聲。有些家庭一進去就好像進了千年古墓，三年五載聽不到一聲哼唧，那準是一個不知溫暖爲何物的家庭也。夫婦間的感情，也準是其淡如水，那股滋味便夠消受的。淡如水和甜似蜜是兩個極端，夫婦雖和情人不同，不可能整天抱在一起，又親嘴又亂摸，無休無止的卿卿我我，但却可以一直清談。或沙發上、或飯桌上、或床頭上，談談一天不見面時各人做的事，有文學素養的朋友，睹景思情，再談談詩詞，談到會意之處，相視而笑，或相偎而報以深獲我心的一捏或一擰，情趣洋溢，那才眞正是理想的夫婦。

『看報』是家庭幸福不幸福最銳敏的寒暑表，一個家庭是不是有其可羡可戀的情趣，從丈夫看報的舉動上可以推測。西洋有一幅漫畫，丈夫在餐桌上一面吃飯一面看報，太太喚他他不應，踢他他不動，大怒之下，整理東西，逃回娘家。老母聽說女兒回來，急忙出迎，女兒一見，一肚子委屈，哭了起來，可是抬頭一看，不禁大張其口，蓋她爸爸也正在餐桌上看報看得津津有味，連她進來都莫宰羊哩。嗚呼，無論何時，都拿報紙像遮死人臉似的往自己臉上一遮，乃是對家庭對妻子厭倦的信號，對愛情已感覺到淡而無味的信號。試想夫婦二人吃飯，做丈夫的猛看其報，做妻子的被冷落在一旁，獨自吃自己的，難堪還在其次，主要的是雙方已不關心，如果不恍然大悟，想辦法搶救，這種冷清場面，可能發展為一場世界大戰。夫妻間離別了一天，見面竟沒有啥可談的，也沒啥意見可交換的，還說啥『百年好合』。

柏楊先生有一同窗，大學者焉，在他搞的那一行中，頗有點地位。女兒已嫁，只剩下兩老，古板人也。有一天我把我的意見告訴他，大力提倡家庭中應風趣橫生，並假造一個例曰：『老趙你認識乎，連一句幽默話都當成眞的，爭辯得面紅耳赤。』該同窗猝然應曰：『我這個人就一向嚴肅，向不跟人開玩笑，包括我的妻子。』嗚呼，這句話掃天下人之大興，一個人竟然嚴肅到家庭牀笫之間，理該滾到十八層地獄，為閻王老爺挖煤。

我們再強調一次，愛情乃感情的一種，而感情是變化多端的。柏楊先生早上起來，接到一信，一位妙齡女郎對我甚為傾慕，約請喝咖啡焉，（這是每個文人都幻想的一幕，我何能免俗。）心中自然大樂。然而上午上班，老闆訓曰：『你這麼大年紀還不知自愛，把公家的熱水瓶帶回家。』心中便不得不勃然大怒，（不是大慚，蓋這年頭流行的是『聞過則怒』。）下午有朋友來訪，猛往我頭上戴高帽，心中則竊竊自喜。晚上有朋友警告我曰：『你以後宜少開簧腔，否則準有未便。』則復大恐。感情如此多變，愛情何能堅硬如鐵？人們必須認清這種本質，才有希望使愛情永恆，否則恐怕任你指天發誓，歃血爲盟，到時候仍唏哩嘩啦，打得粉碎。

愛情既不穩定，想使它穩定，要靠小小情趣去培養，沒有不斷的和新的刺激，愛情即陷於平庸和俗而不堪之境。於此我們乃發現有一種觀念，曰：『反正我們已是夫婦啦，還講究個啥？』那才是天殺的觀念，有此觀念的人，就容易成爲悲劇或慘劇的主角。悲劇者，像丈夫變了心，或太太跟野男人睡覺，甚至跟野男人跑啦之類。慘劇者，就是我們前面所述的，過着默默寡歡的殭屍生活，靑春逝去還不知道是怎麼逝去的，一輩子等於一盤餿了的蛋炒飯。

『反正我們已成了夫婦』，有此一念，愛情就岌岌可危。除非做妻子的運氣好，遇到的是一個沒有出息的丈夫，一輩子既硬又酸，混不出一點名堂。或者除非做丈夫的運氣好，遇到的是一個三分痲木的妻子，沒有人打她的主意。否則，遲早都要冒出點亂子，輕則一肚子氣，重則一輩子氣也。這乃是人性的自然發展，全用圍堵的辦法不行，必須要有適當的宣洩才是良策。我常看見有些太太們，僅僅頭髮，就幾乎一個星期一小變，一個月一大變，這週梳的是瑪麗蓮夢露，下週梳的是奧黛麗赫本，再下週梳的是東洋仕女裝，而再再下週却成了清湯掛麵馬尾式，便不自主的由衷欽佩。蓋男人都是賤骨頭，經常教他們耳目一新，是做妻子的第一要義，頭髮不過是小焉者也。

不知道是哪一個喪盡天良的傢伙，發明了『荊釵布裙』的理論，勸年輕婦女在家不要打扮，一些木瓜型的女人，爲了丈夫和孩子，家裏搞得如難民收容所，自己也搞得蓬頭垢面，臉黃肌瘦，指甲裏汚垢盈尺，辛苦得像一條犁過田的老牛，未開言先打呵欠，旣沒有工夫看報，更沒有工夫看書，偶爾非發表點高論不可時，說出來也是紐約城張飛戰岳飛的高論，自已即令不在乎，做丈夫的却在乎也。

情趣是性格和智慧的化合物，有此境界與否，和知識水準沒有必然關係，有些不認識幾個字的夫婦，窮苦不堪，其樂却硬是無窮，這類例子太多，舉都不勝枚舉。柏楊先生逃難到廣州時，見一對類似乞丐的夫婦，擠在一間小房之中，連大門都沒有，只掛了一張白布門簾，女的俯在一盆水上照映梳頭，男的還在唱哩。但相反的有些大官富商夫婦，却經常一個月兩個月不說一句話，而說起話來也庸俗得教你渾身發燒。

妻子爲了孩子或爲了丈夫，而忽略了自己，無論她犧牲到什麼程度，都等於在那裏玩火，終有一天把自己老命燒掉，（當然也有結果安全，別人還讚美她玩得好哩！）我常看到有些太太們，簡直賢慧得不像話，天不亮就起床，準備早餐，丈夫上班時，連穿鞋繫鞋帶都是她服侍，孩子們上學，再爲孩子們穿衣洗臉整理書包，然後上菜市場，買菜、做菜、打掃清潔，丈夫孩子睡午覺時，她則洗衣服、縫衣服，如此這般，天黑下來時，她才發現還沒有梳一下頭。柏楊先生有一天去姪女家，託她辦一件事，時已下午五點，我看她不但沒有梳頭，而且也沒有擦口紅，兩隻臭脚丫拖着木屐呱答呱答亂跑，誰要告訴我她十年前是個美人兒，我準把他當作大騙子。嗚呼，她不注意修飾，把自己糟蹋成那種樣子，實在太出人意料之外，目前他們夫妻間的感情甚好，她的丈夫還到處炫耀他妻子刻苦耐勞，任勞任怨。柏楊先生自不便預言什麼，但我總覺得她的那種幹法有點危險，當時便勸她幾句曰：『賢姪女，且聽我講，當一個太太，無論年輕年老，無論在家在街，切忌名士派。太太就是太太，不是詩人，詩人可以把自己搞得髒兮兮，太太則絕不可。』姪女曰：『我丈夫曉得我就是爲了他才這樣的。』我曰：『妳不能盼望用感恩代替愛情，三思三思。』她三思的結果如何，不得而知，看情形她三思之後，仍會照着她的原樣。蓋天殺的觀念一旦在腦筋中作祟，人都是走自己認爲對的路也。

人類從孩提時候起，便喜新厭舊，如果說喜新厭舊是一種人性，也不過份。小孩子喜歡小布熊，喜歡得日夜不離，睡覺都要抱着睡，吃飯也要拿着吃，可是過了幾天，便是摔到地上都不睬，目標轉移到電動小汽車上矣。你能說那孩子天生的不是善類，撲殺之才甘心乎？愛情也是如此，當初愛那位小姐愛得入骨，只要對他輕輕一笑，他就如坐春風，可是結了婚後，一覽無遺，她就是把牙笑掉，他都覺得沒啥了不起。可是見了別的女人，雖是三流四流貨色，却怦然心動。這種情形，你說他賤也好，不道德也好，沒有責任心也好，混蛋加三級也好，什麼都好，但再嚴厲的指摘只可使這種趨向減輕，不能使之徹底根除，使之徹底根除的唯一方法是不斷使自己蛻舊變新。嗟夫，假使閉眼一想，便可發現癥結所在，男人們在社會上做事，所看到的女人，全是花枝招展，整整齊齊，（她們回到家後可能也弄得不像樣子，但出門在外，却漂漂亮亮，你奈何她！）一個個粉臉白白的焉，嘴唇紅紅的焉，指甲尖尖的焉，高跟鞋登登的焉。眞是心曠神怡，越看越愛。可是等回到自己府上，夜叉般的黃臉婆，蠢蠢然蹲在那裏洗地板，一天都沒有刷牙，有奇味從口中出焉，而且十年如一日，天天如此，那種情緒上的打擊，能使人精神崩潰，很多丈夫都是被這種太太趕到別的女人懷裏去的。

嗲

一位署名『不具名』的女讀者（我想一定是女讀者）昨天來了一封限時信，責備我說得太嚴重，她曰：『妻子是妻子，固不是主人，也不是僕人，但也不是姘婦、娼妓。』並用兩張十行紙的篇幅，寫盡了下流的話，最後索性疑心柏楊先生出身不正。要說柏楊先生的出身，我可奉告的是，絕對不正，這一點不必再加懷疑。不過，我如果說二加二等於四，難道因我出身不正便忽然等於五乎？談到學問，我可不懂，談到人身攻擊，固內行得很。我只是勸做妻子的在她丈夫跟前有姘婦般的溫柔，不是勸她對別的男人也縱體入懷，這一點先弄清楚，才能進一步的了解。

『不具名』女士的來信甚長，除去下流的話，倒也確有很多問題，值得提出研究，柏楊先生再聲明一遍：我們向不作道德上的教訓，那是聖崽的事；也向不作法律上的恐嚇，那是官崽的事；而只作現象的分析，妻子對丈夫的態度，有她的自由，她柔若姘婦也好，她兇若野狼也好，甚至神聖若馬利亞也好，我們統統沒有意見。我們只是觀察，如果她柔若姘婦，她會有一個美滿的婚姻，和一個美滿的家庭。如果她像野狼，像馬利亞，恐怕她有得踢騰的。

當年維多利亞女皇，她的地位如何乎？權威又如何乎？雖然英國是君主立憲，但她打一個噴嚏，仍足抵我們喊叫十年的。可是有名的軼事就出在她身上，有一次她的丈夫兼表兄阿爾伯脫先生大發脾氣，把自己關在屋子裏，維女士敲門要進去，阿先生在內問曰：『妳是誰？』維女士盛氣曰：『英國女皇。』阿先生大怒曰：『妳是誰？』仍盛氣曰：『維多利亞。』阿先生更大怒曰：『妳是誰？』維女士才發現苗頭不對，乃答曰：『你的妻。』嗚呼，維多利亞女皇不但是一個成功的國王，而且是一個成功的妻子，看她對阿爾伯脫先生『你的妻』那股嗲勁，便是中國目下家庭中少有的溫柔情趣。嗚呼，哪一個因此便看不起維女士乎哉？有一種現象似乎非常特別，越是美麗絕倫，儀態萬方，在大庭廣衆下凜然不可侵犯的女人，她在閨房之內，越能銷人之魂，蝕人之骨。其媚其柔，其風趣橫生，其把男人弄得俯首帖耳，比姘婦還勝一籌。越是其貌不揚，越是學識不太高級，看起來隨隨和和，平平凡凡的女人，在閨房之內，越是呆如木瓜，覺得她的身分比維多利亞女皇還高。如果她的丈夫問曰：『妳是誰？』她絕不會嗲曰：『你的妻。』更不會嗲曰：『你的女兒。』『你懷裏的小女人。』準悻悻然衝曰：『俺是玉蛾！』『你少裝洋蒜！』那就啥情調都要報銷，恐怕當丈夫的身雖在家，心却早逃之夭夭。

關於『嗲』，值得專書研究，此字乃江南朋友發明的，連辭源字典上都沒有，眞要把洋大人難住。它的意義是啥，沒人爲之下一界說，大概是『一種向異性或向長輩表達的，基於愛和溫柔的，博取對方歡心的功夫。』若維多利亞女皇露的那一手『你的妻』是也。有一次柏楊先生送一年輕而又漂亮的少婦回家，她丈夫開門出接，她立刻飛奔而上，站在那個該死的傢伙身旁，雙手抱着他的上臂猛搖，又把玉體硬往他懷裏塞，一面嬌笑一面仰面看他的臉，旁若無人的悄悄問曰：『你眞教我操心，怎麼穿得這麼薄呀！』好像他們已分別一十八載似的，教我看了生氣，那個做丈夫的，眞是他媽的應該被汽車撞死。

『嗲』不是『賤』，賤是沒有骨頭，對任何人都可以。嗲則源於高貴氣質，只對丈夫一人而發。別人看起來可能不順眼，但『嗲』本來不是表演給別人看的。別人偶爾碰上，只好自認倒楣。不過，旁觀者的表情，却可使我們測量該旁觀者的婚姻是不是美滿？如果他彆扭得很厲害，甚至還要憤憤然，悻悻然開咒開罵，他的婚姻準有點問題，因他從沒有嘗過那種蝕骨的滋味，忍不住妒火中燒。如果旁觀者是一些太太們，也彆扭起來，她眞該回家從頭反省，徒開咒開罵，罵那女人騷貨，罵那男人不莊重。不能救自己之危，解自己之困也。

柳永先生雨霖鈴詞曰：『多情自古傷離別，更那堪冷落清秋節。此去經年，應是良辰美景虛設。便縱有千種風情，更與何人說。』嗚呼，夫妻間如果能有千種風情，歷二十年三十年而不衰，福氣之大，可上與天齊。蓋女人的美色最不可恃，一則美色終有衰老的一天，一則便是再漂亮的容貌，做丈夫的甚至當初爲她大瘋特瘋，看得太久之後，效用也會遞減。即令覺得一直了不起，那股刺激之勁，亦不若想當年矣。這種可悲的趨向，有賴千種風情去補充。千種風情到底是哪千種，柳永先生沒有明白的指示，我們想它至少要包括下列數項，曰『嗲』，曰『纏綿』，曰『溫柔』，曰『戲謔』，曰『風趣』，曰『談心』，曰『打打鬧鬧』，曰『吻之擠之』，曰『撫之擁之』。據說日本女兒臨嫁時，母親一定要送她一套春宮照片。有沒有此事，我不知道，說出來似乎有點太黃，至爲抱歉。但如果眞有其事，其中三昧，可獲而得之。我並不是建議家政學堂和家政科系也如法炮製，但家政內容，至少要包括做妻子的種種待夫之道的學問，才算完整。這種學問，目前只有從個人的領悟和電影上的觀察學習，未免太薄待年輕人也。

好比說，夫妻間如果能常說『我愛你』，對那枯燥的家務生活，眞是一副滑潤劑。家政學堂不知有沒有這種課程也。東方人的嘴似乎天生奇硬，很少有人如此如此，認爲那豈不是花言巧語。於是除了米麵油鹽孩子外，夫妻間相對如路人。那種夫妻，他們上床敦倫時，我想可能都一語不發，那才眞是白活了一場，恐怕死都不能瞑目。從前舞蹈家鄧肯女士追求大詩人鄧南遮先生，特地請了一位家庭教師，敎她俄語，學了幾天，不禁大煩，便對敎師曰：『我只要你敎我俄國話「我愛你」就夠啦！』嗚呼，一聲誠懇熱情的『我愛你』，抵得住千言萬語，能消滅多少陰影，一個女人或一個男人，如果嘴硬得連這一句話都不會說或不肯說，那就是一個生了銹的鐵釘。

婚姻的大敵

我們不能把『我愛你』當作油腔滑調之詞，妻子們常理直氣壯的曰：『我嫁給他不就說明了一切乎？』沒有人否認這種說明，但如果能再纏綿的把那份深情表達出來，似乎就更臻仙境。父母對子女乃先天的愛，爲孩子送掉老命都幹，可是你不妨到街頭巷尾瞧瞧，那股肉麻勁就夠你抽筋的。做母親的把嬰兒摟在懷裏，又扭又晃，又叫又嚷，曰『媽媽願爲你死』，曰『看你的小臉蛋多乖』，曰『你是我的小火爐』。嗚呼，叫做丈夫的在一旁看啦，和嬰兒的際遇一比較，想想自己可憐的身世，眞要懷疑他的太太，對丈夫爲啥那麼含蓄，對孩子爲啥那麼熱情。

然而這並不是說在家裏開了廉價的愛情市場，只要付出『我愛你』三個字，就可得到一切。千萬種風情只不過是一種滑潤劑，沒有這種滑潤劑，再大的機器齒輪轉動久啦，都會發生摩擦，生煙生火，搞得鐵也軟矣，鋼也熔矣，一敗塗地，不可收拾。不過如僅僅靠着滑潤劑，而沒有動力，那滑潤劑便不值個屁。君不見婊子乎，她一見面就坐到你膝上，拉你的鬍子，硬說愛你，那算幹啥？嗚呼，任何情趣都不是廉價的，你抱一下妓女曰『我愛妳』，你付出的代價是一百元二百元。你抱着你妻子曰『我愛妳』，你付出的將是你的終身。

戀愛生活是多采多姿的，尤其是當一個女孩子，一旦進入戀愛之年，簡直是妙不可言。妳走路，有人前呼後擁。妳一齜牙，有人睡不着覺。妳說妳眉毛痛，馬上有七八個醫生匍匐而至。妳一不小心哼唧一聲，就有人滿臉忠貞之相，噓寒問暖。男孩子精采的程度也差不多，看着眼前那位如花似玉的美人兒，魂都要飛，隔着五里路他都聽得見她的咳嗽——他把這種現象叫心心相印。可是一旦結婚，大局已定，生活就開始平淡，由平淡而進一步的俗不可耐，她看他沒啥了不起，他看她也沒啥了不起；十年之後，她不要說咳嗽沒人理，便是腰痛得哎喲哎喲，做丈夫的都不在乎。遇到粗線條，說不定還『幹你娘』哩。

這種刻板而平庸的生活，乃是愛情生活和婚姻生活的大敵，克服它要在每一個小的地方都提高警覺。咦，於是我忽然想起女人的內褲，有些妻子不但對自己外面穿的衣服不注意，對自己貼身的衣服更是邋遢。迄今為止，仍有些女人穿着十八世紀那種古老的長到膝蓋的內褲，更有些女人的三角褲髒而且破。嗚呼，她以為那玩意沒人看見，沒啥關係；却不知看見那玩意的人，一旦作嘔，便要砸鍋，固嚴重得很也。

財富固然是婚姻的基礎，一有變動，就生危險，前不言及之乎，『富易妻』『闊易夫』，事情發生前，誰都不相信（連當事人自己都不相信），事情發生後，誰都擋不住；錢似乎是唯一重要的東西，但事實上並不盡然也。衣飾容貌同樣也是愛情的基礎，一有變動，立生危險，前不也言及之乎。（這種情況連皇帝的老婆，像劉徹先生的太太李女士，都知道色衰必定愛弛，偏偏仍有人堅硬其嘴，不肯承認，或僅用道德去拴，教人好不心焦。）美色似乎也是唯一的重要東西，不漂亮的女人只好上吊矣，但事實上也不盡然也。男女間的事如果眞的如此簡單，這社會早就跟現在的不一樣啦。

我們說過，家庭是一個只講愛情而不十分講道理的地方，一定要把權利義務，是非曲直搞得明明白白，那只有天天吵架打架。但有一點却是存在的，它和『財富』『漂亮』鼎足而立，甚至有的時候還可以代替，蓋夫妻子女間固可不講『道理』，却不能沒有『尊敬』。愛情那玩意的變化極大，有時候因愛生恨，簡直巴不得把對方分屍才舒服。有一對結婚六十年的夫婦，大張筵席，慶祝他們的金剛鑽婚，席間有位記者問老太婆曰：『你們婚姻如此美滿，不知六十年間，也有吵架之時？』老太婆吃驚曰：『吵架？有時眞想謀殺！』但再大的恨都有回心轉意的一天，可是一旦變成了輕視，愛便夾尾而逃。笑林廣記上有那麼一則故事，某巨公有一妻一妾，高樓大厦，僕從如雲，夜出早歸，爲國家辦事，儼然忠臣孝子，可是日子一久，太太起了疑心，那時旣沒有幹報館的行業，他搞些啥名堂乎？於是有那麼一天，扮成縣太爺，追踪而往，見她那偉大的丈夫剛從一家富宅中偸了一包東西，從狗洞中爬出，乃把他捉住，結結實實的打了一頓板子。該夫不知事敗，仍昂然而歸。我想用不着再打聽，他的幸福生活恐怕要隆重結束。這不是說他不應作小偸，而是說他已被自己的妻子輕視。

男女之間，獲得愛易，獲得敬難，哪個人不愛鬈毛狗乎？又哪個人不愛金絲雀乎？柏楊先生最愛花狸貓，吃飯時牠臥在飯桌上，寫稿時牠躺在我懷裏，睡覺時牠跟我睡一個被窩，簡直是須臾不可離也。柏楊夫人每天上市，如果忘記買貓魚回來，我必定義正詞嚴的痛加抨擊。於是乎問題就出來啦，我愛牠固愛得緊（老妻前天踩了一下牠的尾巴，我就駡了半天大街），但我對牠恐怕沒有啥敬意，世界上很少有人見了鬈毛狗或見了金絲雀而雙膝下跪的。夫妻間如果僅僅有愛而無敬，那種愛再濃都沒有用，都有變淡變無的一天。崇拜和輕視只隔一張薄紙，一旦瞧之不起，便也愛之不起。

不被欣賞

諸葛亮先生對劉備先生最感激的是，劉備先生去了他家三趟，請他當官。此之謂三顧茅廬，這故事終於成了典故，說明了知遇之恩，是人生中最幸運的遭遇，也是雖殺身都難報萬一的感情也。諸葛先生如沒有劉先生，他還不是跟柏楊先生一樣，沒沒無聞，與草木同朽乎。知遇之恩，乃只有人類才有的至高情操，諸葛亮先生之始終忠心耿耿，連劉備的蠢子阿斗先生都捧到底，爰此一線之念而已。

『知遇』，換一個現代化名詞，曰『被欣賞』，那就是說，自己的長處被欣賞，自己的短處被原諒。一個人能有這種際遇，眞是一連八代老祖宗都做好事，修下來的福。政治上如此，家庭中更是如此，閨房之內，最淒涼的事，莫過於自己的長處不被欣賞，自己的短處不被原諒。有一個小女孩淘氣萬分，媽媽責備她，說她是一個『壞女孩』。小女孩決心學好，有一天特別乖，到了晚上就寢時，見媽媽仍沒有啥表示，不禁哭曰：『我這樣做還不能成爲一個好女孩呀？』作母親的憬然而悟，趕忙摟到懷裏誇獎她，小女孩才含笑入睡。

該小女孩的例子值得我們深思，那不僅是兒女們的需要，夫妻間亦同樣的需要。有一件眞實的故事可以加强這種印象。若干年前由美國赴西班牙的一艘客船，途中遇到颶風沉沒，大家紛乘小艇逃難，其中一個小艇漂流到非洲海岸，觸礁再沉，所有同伴統統淹死，只有一位金髮碧眼的漂亮女郎被當地土人救起。從後來報上她的照片上，可看出她眞長得沈魚落雁，閉月羞花。可是當一個白種女人落到黑種朋友的世界之中，三圍算啥？學識算啥？她的美又更算啥？搞得她實在活不下去，只好嫁給當地社會地位很低的一個砍柴的，（那黑傢伙竟有如此艷福，眞是該死。）生下一個孩子。有一天她去海濱游泳，望見有輪船經過，大聲呼喊，被救了出去，她編了一套在荒野中流浪的謊話，大家自然相信，無人疑心其他。回到美國之後，再結了婚，可是仍念念不忘她的親生之子，就慫恿她丈夫前去非洲探險，以後的事不必說啦，不外是她看見了她的孩子，雖只遠遠的瞥了一眼，不能接近，但心已安矣。

不被欣賞，眞是人生最大的痛苦。做妻子的貌如天仙，才華絕代，丈夫却俗陋兇暴，不知道啥叫憐香惜玉，能使人口吐鮮血。宋王朝詩人朱淑眞女士，以她的美和她的才，竟嫁給一個市井庸夫，對她作的詩詞，不但不欣賞，反而說女子無才便是德，責她哼哼唧唧亂畫符哩。斷腸詩集說她：『一生抑鬱不得志，故詩中多憂愁怨恨之語，每臨風對月，觸目傷懷，皆寓於詩，以寫其胸中不平之氣。竟無知音，悒悒抱恨而終，自古佳人多命薄，豈止顏色如花，命如葉耶！觀其詩，想其人，風韻如此，乃下配一庸夫，固負此生矣。』嗚呼，紅顏薄命者，紅顏不被欣賞也。

不被欣賞是一種被剝了皮而又不准流血的淒涼悲劇。妻子不被欣賞，謂之紅顏命薄，謂之一朶鮮花插到牛糞上；丈夫不被欣賞，謂之窩窩囊囊，謂之一堆狗屎傾到山珍海味上。前文所述的金髮女郎和朱淑貞女士，都屬於鮮花之類，這一類的例子太多，寫出來可寫一火車。於是乎，夫婦之道，千言萬語，似乎可歸納兩個原則，一曰：『努力使自己被對方欣賞』；一曰：『努力去欣賞對方』，不宜一日懈怠。只要朝著這兩點去做，雖不能使夫妻感情臻於盡善盡美之境，但包管家庭中的氣氛是和睦的也。如果毫不在乎，我敢賭一塊錢，只要有一方稍微有點情調，恐怕就要成爲怨偶。謝道韞女士的丈夫王凝之先生，飯桶一個，謝女士回娘家對她爸爸嘆氣曰：『天下之大，竟有王凝之這種人。』嗚呼，那時候如果流行自由戀愛，恐怕王凝之先生給她提鞋她都不肯。閨房中的落寞寡歡，不卜可知，因爲不能離婚之故，她頂多發發牢騷，如果是現在，早就去了美國矣。

做一個妻子應不斷使自己美——前已言之，包括風度的美，智慧的美。我姪女有一位女同學，有一天來我府上串門，摩登得一塌糊塗，那時候恰是英法爲蘇彝士運河打仗，大家忽然談到生命線等等，該女士曰：『他們眞不通竅，蘇彝士運河不能走，走巴拿馬運河還不都一樣。』我以爲她在幽默哩，看她一臉學問，顯然不是幽默，不禁大驚。幸哉，她眞得感謝上帝使她的丈夫不是柏楊先生，否則當時就可能把她一脚踢出。我這一生最不喜歡和老妻去看電影，她孤陋寡聞，啥都不懂，一會問曰：『嗨，那男人不是死了乎，怎麼又活啦？』一會又問曰：『嗨，怎麼他的鎗打得那麼準？』越看到緊張之處，她越問得興奮。我要不是看她年邁力衰，前途渺茫，早一棒打到大街之上。

一個女孩子一旦當了太太，容貌衣飾上固然容易忽略。更嚴重的還是，她們都以爲從此弄到手一張長期飯票，不必在學識上再進修啦。這種知識上的不長進，比衣飾上的不長進，更爲要命。從前羅馬時代，當一個僕人很簡單，有體力就行，但現代當一個僕人，便複雜得多。如果你在實驗室當僕人，恐怕你至少需懂得那些瓶瓶罐罐裏裝的玩意是啥。如果你在工廠當僕人，你至少得了解何者是馬達、何者是警鈴，否則你便幹不下去。從前當一個妻子，只要會燒菜做飯，洗衣洗被生孩子便可，而如今却是一天比一天沉重。知識水準，必須跟著丈夫的發展而進步，丈夫如果是外交官，妳至少要懂得禮砲爲何，不致臨時聽到忽咚忽咚亂響，嚇得屎屁直流。如果妳丈夫是動物學家，妳就必須知道毒蛇的特徵爲何，才不致伸手亂抓。如果丈夫是柏楊先生，妳就必須知道啥是稿紙，啥是稿費，更必須知道編輯老爺和報館老闆的尊號，見之未語先笑。否則，做丈夫的觸目傷懷，災難就大矣。

不貞的恐怖後果

不貞，是破壞家庭，破壞感情最大的力量。一個男人，一旦發現他的太太竟心甘情願的和別的臭男人上床，準拍案而起，不是告狀，就是動刀子。一個妻子亦然，一旦發現她的丈夫和別的野女人上床，也會又哭又鬧。古人把這種反應，名之曰『吃醋』，可謂絕妙之喻。不信的話，不妨買一瓶喝口試試，當發現丈夫偷人的時候，胸中所感覺的，便是那種滋味，既非純粹的痛苦，也非純粹的憤怒，更非純粹的羞慚，乃各種化合之物，若醋在胃中發出來的那股兇勁和酸勁。

在我們目前這個社會上，女人不貞，較男人不貞，要嚴重得多，這不是公平不公平問題，而是現象問題。差不多的情殺案都是因為妻子不貞，很少因為丈夫不貞的也。但情殺並不能阻止不貞，即令是下油鍋，該偷人的還是照樣偷人，世界上最危險的事，莫過於皇后紅杏出牆，一旦被當皇帝的丈夫捉到，那才眞是災情慘重。但歷史上皇后偷人，却比比皆是。柏楊先生從前住昆明時，鄰居有一少婦，明媚可喜，有一天聽她在家裏哭，她丈夫在石砧上霍霍磨刀，大聲曰：『妳再和那小子去看電影，我殺了妳。』過了不到半年，她竟席捲所有，和那小子逃到九天之外。嗚呼，連皇帝都不能靠他的恐怖政策拒戴綠帽，何況小民哉。從前的丈夫還有點意思，只要當場把姦夫淫婦捉住，一刀兩段，可以無罪。現在則不行啦，當場捉住等於白捉，說不定還要被姦夫照小肚上踢一脚；即令告到法院，鬧得滿城風雨，結果判上三個月五個月的牢，變了心的妻子還巴不得如此解決。

夫妻當初結婚之時，丈夫發誓說要愛妻子愛到底，妻子也發誓說要愛丈夫愛到底，可是愛來愛去，竟愛到別人身上，這種巨大的變化，屬於頂尖的學問。有一種現象想起來便教人害怕，再忠實的夫婦，在他們的婚姻生活中，都潛伏著不貞的種子，問題是大多數不貞的種子沒有萌芽，或僅萌了芽而沒有開花，或僅開了花而沒有結出果實。有些人被自己所受的教育和修養所限，有些人被自己絕對强大的理智所壓。從前有一位少婦，十八歲守寡，等到八十歲壽終內寢時，將她的子孫喚到床前，囑曰：『後輩如果有丈夫早死掉的，便可遺嫁，勿令守也。』那種離經叛道的話出自老節婦之口，衆人無不瞪眼，老婦乃教人捧出一把銅錢，告曰：『在過去漫長的歲月中，每逢月白風清之夜，我有所念，就把銅錢撒在地上，然後再一一撿起，不撿到精疲力盡不止，後輩能受此苦乎？』我們舉這個例子，不是讚揚她爲夫守節，而是說明不貞的意念眞是最頑强的衝動，有些人守身如玉，不是其內心槁如死灰，而是訴諸理性，有所不爲，或有所畏懼，不敢亂動。一旦拉下臉來，啥都不怕時，綠帽自然飛出。

另外還有一種原因，使有些人不得不老老實實過一輩子，那就是自己缺少吸引力，或缺少機緣，以致終身都沒有碰到桃花運。以柏楊夫人爲例，既老且醜，便是豬八戒先生都不會打她的主意，自沒有人悄悄的約她去看電影或跳舞，她縱然想弄個綠帽子教我戴，都弄不到手。又像柏楊先生，實際上並非善良之輩，但因所交朋友，全是男性，即令偶有女孩子來往，又無人愛慕老漢。若是有那麼一天，我由海路赴美，途中船沉，僅只我和另一個美麗的小姐漂流到一個孤島上。嗚呼，到那時，我看柏楊先生雖道德輝煌，恐怕也非挺身而上不可。

我們說了這麼多，好像故意在揭人類的底牌，非也，底牌人人皆知，乃上帝的安排，不管它對不對，都無可奈何。而我們之所以這麼大聲嚷嚷，乃是要强調一點，任何恩愛夫婦，都應注意到不貞的可怕和不貞的可能。一個人，尤其是一個女人，如果被視爲，或自以爲除了配偶外，對別的異性都無興趣，或別的異性再誘惑都不在乎，那眞是天下最大的地瓜。諸譯上有一則小故事，是這樣的焉，妻子對丈夫曰：『對門那個老王總是看我。』丈夫曰：『不要理他。』妻子曰：『我告訴你你不管，等一旦被他看上了，你可別怪我哦。』看此幽默對話，人人皆會一笑，但問題却在其中。妻子一旦發現丈夫是塊木頭，而有別的男人欣賞她，她最初尚能克制，但生物的本能是不易徹底降伏的，天長地久，就很難說啦。美國有一個探險家，和他的嬌妻，以及他的朋友前往非洲打獵，他妻子堅決反對他的朋友一同前往，他問何故，她也說不出，丈夫笑她莫名其妙。可是六個月後，他一人返美，不再笑他妻子莫名其妙啦，蓋他的妻子和他的朋友，在非洲同居了矣。

任何人都要了解自己的生物本能，不了解就一定蒙受其害。有些丈夫，像上了報的魏平澳先生，他對他妻子有人類中最大的信心，深信以她對他之愛，其濃其烈，絕對不會有啥意外，不要說和朋友看看戲、跳跳舞沒有關係，便是睡到一張床上都沒有關係；結果動了刀子。這固是他妻子辜負了他，也是他朋友辜負了他，但起因却在於他之對生物本能的輕視。嗚呼，一旦慾火攻心，啥叫恩愛，啥叫道義，啥叫利害，都顧不得啦。有些妻子，像一位美國醫生所說：『她們深信不疑的以爲她們不會有意外，因爲她只是和好朋友和好鄰居在一起玩玩，不過偶爾用輕鬆的接吻和擁抱來提高她們的自尊心而已，但她們很可能發動一次自己都無法控制的暴烈行爲。』該醫生曰：『我曾經爲許多因這種曖昧而出生的嬰兒接生。』

嗚呼，很多不貞，不是因爲不愛她的丈夫，而是『我當時實在沒有辦法呀』！但她們固可早早防止。在美國，常有這種情形，大家集體回城的時候，太太們往往同意換着丈夫開車。在中國，最流行的是太太和男朋友看看電影跳跳舞。嗚呼，不是說那準出毛病，而是說那最容易出毛病。

有點異樣

以男性為中心的社會，女人幾乎全部負擔起『不貞』的責任，一說到貞操，準是指女人而言，如果說某位先生不貞，定有人連嘴都要笑歪。張先生背着張太太，和女朋友開旅館，被人碰到，頂多尷尬一陣，通常大家還羨慕他高竿，要向他學習哩。然而，張太太背着張先生和男朋友開旅館，被人碰到，那就會立刻戰雲密佈，跟着而來的可能是刀光血影。太太小姐們如果每個人都束緊自己的褲帶，硬是不解，世界上會太平得多。這不是說男人的責任小，他一點也不小，風流男女在一起亂搞，出了事情，男人的責任至少跟女人的責任相等，甚至過之。但是有一點却不可不知，男人的責任雖不小，但受到的社會責備，却是小也。一個男人每年換一個姘婦，都沒關係，一個女人如果每年換一個姘夫，豈不被認爲爛貨乎。太太小姐們必須知道我們是啥模樣的社會，才不致輕易答應男人的混賬要求。

若干年前，柏楊先生有一位遠房姨妹，她和丈夫當初也是自由戀愛結婚的，轉眼一十五載，她雖半老徐娘，而姿色不衰，有一年夏天，丈夫去瑞士開什麼國際會議，丈夫的朋友經常前來探望，那是眞正的友情探望，有時她寂寞無聊，就一塊去看看電影。後來幾個月過去，就改看看電影爲跳跳舞。於是乎，姨妹感情上起了一種無法化驗的變化。她和該朋友在一起時，會感覺到非常舒服，有時候促膝談天，談到三更半夜還不覺得晚。有時候並肩出遊，就好像丈夫在旁一樣。有時候去跳舞，她就願享受他的那種擁抱。尤其是，到了後來，她聽他說『他的太太不了解他』，她就更有點異樣。

姨妹心裏異樣，行動也跟着異樣，有時候和朋友拉拉手，有時候偶爾面頰也接觸一下，但兩人仍沒有亂七八糟。可是丈夫回來後，看到眼裏，自然大發雷霆，鬧了個鷄犬不寧；丈夫平常一向異常馴服，這一次却拍案如雷，大張撻伐，姨妹自以爲沒有做出不可告人之事，不肯相讓。糾紛遂不可開交，氣呼呼的前來訴苦，和其他任何女人的訴苦一樣，其目的有二，一是宣傳自己的淸白，二是宣傳丈夫變啦，變得跟從前判若兩人。柏楊先生誓死都相信該姨妹守身如玉，蓋如果拆了爛汚，她便不致如此理直氣壯。有一次丈夫揚言要邀請所有親友來評理，他曰：『講給大家聽聽，我太太竟和別的男人泡咖啡館，跳舞時勾肩搭背。』她冷笑曰：『你招待新聞記者我都不怕，我立得正行得正，他是你的朋友，我們沒有過份。』——姨妹敍述已畢，我曰：『阿妹，我看妳這個家馬上就要完。妳如果已決心不要這個家，不要妳的丈夫，我無意見，打之鬧之，離之去之，悉憑尊意。但如果妳本意並不如此，則趕緊回頭。上帝當初造女人時，便只允許她有一個丈夫，不允許她在丈夫以外再同時有一個聽她順她，供應她快樂的情人。如果丈夫能兼情人，那是該女人三輩子修來的福，否則就得放棄一個。』姨妹曰：『他不是我的情人呀。』我曰：『那是名詞問題，我不和妳爭，反正是妳對丈夫已經在感情上先走了私啦。這跟偷東西一樣，最初一點一點的偷，以後大大批批的偷，最後就明火執仗一下子偷個精光。妳現在是第一階段，只把感情輸出一點，如果再不制止，接着就是身體輸出。』姨妹曰：『你說得太嚴重，你們寫文章的人好過甚其詞，你把我說成什麼人啦？』我曰：『我把妳說成一個普通的女人，具有生物本能的女人，既不是聖人，也不是白癡，更不是被妳朋友歌頌的什麼「超人」，那教我肉麻。不要以爲妳有智慧可阻擋一切，那股勁和從高山上往下踢石頭一樣，一經發動，誰都阻擋不住，連當初踢石頭的那傢伙都沒辦法，唯一阻擋之法是千萬別去踢它。妳如果認爲我過甚其詞，不妨繼續搞妳的。妳敢和我打賭乎，妳將來不弄到那個結果，我輸妳一塊錢。』姨妹大怒，甩髮而去，後來夫婦和好如初，朋友仍繼續來往，但已不再單獨外出矣。

一提起來不貞，人們往往想到和別人顛鸞倒鳳。其實，感情上的走私，是同樣的不貞，其危險性不亞於顛鸞倒鳳，而且因它是一種有意志的行動，所以比僅僅失身還要嚴重。蓋那有公式在焉，第一步是她覺得和他在一起時快樂，他或是丈夫的朋友，或是自己的同學同事，大家光明磊落玩玩，也歡迎丈夫參與其間，滿室生春，渾身細胞都像注射了賀爾蒙，舒而且服，那朋友不時的再送她點禮物，她就火上加油，更加精神百倍，快樂無窮。第二步則由公開的談談笑笑，變成偷偷摸摸的唧唧咕咕，和隱隱藏藏的約會，丈夫被摒在圈子之外矣，見面時兩個老風流儼然一對小兒女，男的說太太不了解他，並感嘆曰：『相逢恨晚』，然後摸女的之手。女的說丈夫也不了解她，相逢不算太晚，要他安心工作，（天哉，他怎能安心乎！）努力前途，然後也接過他的手摸之。第三步，丈夫發覺風緊，或嘆氣，或打罵，或吵鬧，或打官司，把女的搞得頭昏腦脹，心裏一想，我並沒有和人發生肉體關係呀，爲啥如此對我乎！胸中一激動，再加上外力一慫恿，芳心一橫，豁上啦，於是乎，悲劇開鑼。

『有限』的付出

使該姨妹開始感到異樣的，前已言之，是該男朋友的一句話：『我太太不了解我。』實際上他太太也眞的不了解他，不僅僅在知識上不了解他，在靈性上也不了解他。蓋他是一個留法學生，而太太固只讀到小學爲止，且天生的不長進，每天只知道打麻將說閒話，因丈夫留學是花她父親的錢，她就成了大恩人，有時丈夫曰：『妳連世界上有個匈牙利都不知道，朋友來談時，請別亂插嘴。』她曰：『你還不是用了我爸爸的錢才知道的。』至於談情說愛，更不必提，朋友內心空虛得跟泡泡糖一樣，遇到大學堂畢過業的姨妹，只要聊聊天，他便覺得像吃了人參果。

問題是，眞是『太太不了解我』的，固有的是。冒牌『太太不了解我』的，更車載斗量。任何已結過婚的男人，只要想向外發展，最最無懈可擊，最最具有征服性的理由，莫過於該一句話：『太太不了解我。』女人們一聽眼前的那傢伙愁眉苦臉，甚至珠淚雙拋的說他的太太不了解他，她偉大的母性，和慈悲爲懷的菩薩心腸，就油然而生，即令是臭而不可聞也的男人，都會隨着他太太不了解他的程度，而逐漸的發出香味。蓋男人們平常都是雄赳赳而氣昂昂，以女人的保護者自居，有時候還儼然君子，儼然英雄，教人眼花撩亂；一旦竟在女人跟前變成一個被太太虐待，或被太太冷落，成爲世界上最寂寞的苦命之人，那眞是妙哉妙哉；而且只要女人稍予慰藉，就可使該男人歡天喜地，哪個女人肯吝嗇此一顰一笑乎？某故事書上云，有一位漂亮的女郞獨自乘船，遠渡重洋，第一天致其父母電報曰：『那個英俊的船長追我。』第二天曰：『他向我求婚，我已拒絕。』第三天曰：『他說我如果仍然拒絕，他就把船炸沉。』第四天曰：『我救了一船人。』普通女人大概都有『救了一船人』的高尚情操，一船人都可以救，則救一個人更輕而易舉。況且並不要眞刀眞槍的嫁之，而只不過陪陪他，說兩句勸解的或溫柔的話，必要時去遊玩一番，自己付出的固有限得很。

美國查普曼報告上有一個女秘書和老闆的故事，兩個人起初淸白如水，老闆給她很多很大的幫助，有一天她感激之餘，吻了一下老闆，（注意，美國之吻，沒有中國之吻的含意嚴重）老闆就順勢抱住她，而且不老實的摸索起來，女秘書察覺到他的動作，但她想：『他給我的旣是如此之多，而要求我的又是如此之少，有啥關係？』一直等到他摸到她的乳房，她才覺得有點不對勁，掙扎而起。太太小姐們在感情最豐富之時，或是出於感恩，或是出於憐憫，極易覺得自已付出的『有限』，却不知道僅僅那一星星『有限』的玩意，便足夠『伏屍二人，血流五步』。

『太太不了解我』，眞是征服女人包藏禍心的已婚男人，最有效的武器，好像唐僧先生的緊箍咒，別看孫悟空先生頑强潑皮，只要唐僧先生念念有詞，他就心服口服。臭男人也是如此，對着其貌如花的太太小姐，口中念念有詞曰：『太太不了解我，太太不了解我。』那比唐僧先生的緊箍咒還靈，該太太小姐痛徹心髓之餘，恨不得把他抱到懷裏，用舌尖舐去他的眼淚。據柏楊先生考察，這是屢試不爽的手法，有志之士，不可不知也。相反的凡是紅杏出牆的太太亦然，『丈夫不了解我』，同樣是一個極端奇妙的能源，有此項能源，再巨大的機器都轉得動。如果把天下所有的有外遇的男女加以調查，恐怕每一對當初所說的話，都以此句爲主題。前些時一少婦慕名來訪柏楊先生，一定要單獨和我談話，氣氛嚴重，我就知道她的困難是啥。果然她愛上了一位有婦之夫，而且憐之憫之，不可開交，我曰：『他一定向妳說他太太不了解他，妳因同情他才愛上他。』她大驚曰：『柏老，你怎的得知？』我曰：『我說這話，不含批評之意，可能他是說謊，也可能他太太眞應該碎屍萬段，我都不管，我只覺得那句話的力量太大，妳是否也向他說過妳丈夫不了解妳？』她曰：『沒……沒……』我曰：『糟啦，糟啦，害死人啦，這種話一句已夠受的，現在冒出了兩句，男的一句，女的一句，簡直非要老命不可，你們若不快散，就應該立刻和配偶離婚，否則準吃官司。』嗚呼，愛情的事，豈能像柏楊先生說的如此簡單，她垂頭喪氣，嗚咽而去，我眞爲她擔心也。於是乎，我想起來一事，不管是太太也好，小姐也好，如果有一天遇到柏楊先生向妳訴苦，說柏楊夫人不了解我，請妳賜予同情，妳最好是上來就打一嘴巴，否則芳心一軟，看我唉聲嘆氣，或陪我看看電影，或陪我散散尊步，那妳的痲煩就大啦。

十大信條

妻子的神聖天職，是要抓住男人，抓不住男人，再厲害都沒有用。妻子不貞，丈夫有一半責任。丈夫不貞，太太也有一半責任。如果把對方逼得落荒而逃，責任就更大。柏楊先生所見多矣，被敦請調解家庭糾紛的次數亦多矣，有些丈夫在外另築香巢，有些丈夫日夜不回家，有些丈夫整天對妻子怒目而視。做妻子的哭哭啼啼，在我面前對丈夫又鬧又跳，又號又叫，看起來形形色色，男人都不是東西。其實只不過一點，那就是太太不知道她如何去做一個好妻子也。想了很久，想出十大信條，開列於後，那是避免丈夫不忠的良劑，也是一團棉絮，塞住丈夫的口，使他永說不出『太太不了解我』，太太們便可安如泰山矣。婚姻是一種藝術，這十大信條，只是提綱；運用之妙，存乎一心。

第一 妻子必須信任丈夫。即令丈夫做出糟糕之事，也得信任，有沒有學問就看此矣。蓋丈夫一旦發現他改好了而仍然得不到信任，他就會把心一橫，再露一手。家庭中的柔順溫暖，全建立在互相信任上，夫妻間一旦不信任，什麼情調都告完蛋，不把他逼走，把誰逼走乎？

第二 一個太太，必須知道感謝她的丈夫，而且必須知道如何表達這份感謝。有些女人簡直像呆頭鵝，即令丈夫恩重如山，她都不會在情調上給他滿足，一切災禍便從此呆頭鵝的態度而生。我嘗看到一位太太，丈夫給她買一個別針回來，她都要高興半天，丈夫對她任何一個小小殷勤，像赴宴歸來從筵席上帶回銀絲捲啦，像發薪水時給她買十元三條的小手帕啦，她都感激涕零，拉着他的手摩擦自己的面頰，口中喃喃而言曰：『謝謝你，謝謝你。』柏楊先生一旁看啦，肉皮發緊，但那混蛋丈夫却被搞得如醉如癡，昏昏迷迷。

第三 有些妻子，似乎一輩子都不知道丈夫到底是幹啥的，想了解都無從了解。有一個太太，有一天心血來潮，去參加她丈夫主持的一項關於羊毛脫水的講演會，該頭禿禿而肚胖胖的丈夫，講起他的業務，議論風生，眞有一套。不禁大吃一驚，原來羊毛那一行竟如此的興趣盎然，而她那沉默寡言的丈夫竟也如此的萬種風情，對他崇拜之心，乃油然而生。嗚呼，丈夫是作官的，妻子應曉得作官之道。丈夫是作商的，妻子應曉得作商之道。則丈夫不但有一種被欣賞的感覺，且二人由感情上的融化爲一，進而在理智上及知識上也融化爲一。

第四　常常對丈夫稱讚，是馭夫的重要秘訣。說句老實話，所謂『了解』也者，最大的意義就是稱讚，妳了解他是一個偉大的藝術家，他準高興得連屁都放出來。俗語說：『人比人，氣死人。』那是指普通情形，而妻子們必須做到『人比人，喜死人』，才算第一等高手。時常把自己丈夫和別人的丈夫比較，然後發現自己丈夫的優點，而稱讚他，而誇獎他，而以他爲榮，除了自己確信他確比別的男人有一手外，還要使他相信他在妻子眼中有崇高的地位，他自然會服服貼貼若老牛。

第五　太太們穿衣打扮，應該以丈夫的喜愛爲主。有些女人一意孤行去追求摩登，眞教人爲她出汗。有一位朋友最討厭女人畫藍眼圈，他說那只有妓女舞女乃至明星以及名女人才如此，可是他太太却非畫不可。又有一位朋友最討厭女人在頭上紮白帶子，他說紮紅帶黃帶豈不也一樣乎？可是他太太硬是要紮。不必打聽，他們的日子不會心曠神怡。

第六　女人乃是一種廚房動物，以柏楊先生考察，上帝創造女人，教她們雙乳巨大，是爲了奶孩子也。教她們的身腰細小，是爲了不讓碰着鍋爐，以策安全也。教她們有美麗的大腿，是爲了只有那一部份可以不受油濺的威脅也。嗚呼，柏楊先生此論，不是說我忽然加入了納粹黨，和希特勒先生交了朋友，而是說，無論女人們說什麼，即令位尊而多金的伊利莎白二世女王，她都會燒幾樣她丈夫喜歡吃的拿手好菜。否則，一旦丈夫陷於『見飯愁』之境，等於炸彈開始冒煙，有些太太小姐常自己吹自己什麼也不會做，以示她不同凡品。咦，如再繼續不同凡品，終有一天要轟然一聲，煙屑四崩。

第七 做一個妻子，不但應該尊重自己的丈夫，更要緊的是，還應該尊重丈夫的父母兄弟姐妹以及他的親戚。半吊子的女人最容易瞧不起丈夫的家人，那是致命之傷，蓋那將使丈夫在家庭中沒有地位；除非他是軟骨頭，自願斷絕父母兄弟姐妹骨肉之情，龜縮閨中。否則他一定反抗，一次反抗失敗，會再來一次，終有一次，把家庭反抗得風消雲散。即令太太是博士加三級，而丈夫的表兄不過是鄉巴佬，太太也不能提起該表兄就嗤之以鼻。丈夫自己嗤之可也，太太如果嗤之，他的自尊心受到打擊，就危機四伏。時常說些他家人的好話，惠而不費，效果却豐。

第八 我的一個朋友女兒結婚時，她母親訓之曰：『妳要喜歡妳丈夫的朋友。』女人們的心理往往非常矛盾，一方面希望丈夫飛黃騰達，一方面又希望丈夫一直在自己掌握之中，不和別人來往。天下能有如此妙哉之事乎？有些妻子把丈夫的朋友一律看成狐羣狗黨，也或許眞是些狐羣狗黨，但一個男人在社會上不可能專交些高階層，也不可能一天到晚講仁義說道德。有時候輕輕鬆鬆，露露尾巴，並傷不了大雅。嗚呼，妻子有使丈夫朋友們覺得她歡迎他們的義務，她必須和丈夫共同會見客人，必須端茶拿煙拿瓜子，親切招待。有些太太遇到丈夫的好朋友來時，就親自下廚房，弄點什麼小玩意吃吃，那就大大的對了勁。

第九　天下平凡的男人多，偉大的男人少，故太太們對丈夫的前程，不宜太過於苛求。柏楊夫人向不責備我爲啥沒出息，有一次她曰：『人家甘廼廸先生，四十多歲就當了總統，你這麼一大把年紀，還啥都不是。』我當時就口吐白沫，建議她去嫁老甘。自那次以後，她便再沒敢亂挑剔矣，蓋不尊重丈夫目前的事業，除擾亂軍心外，別無任何好處。不但對丈夫那小小前程要尊重，而且應該尊重丈夫腦筋裏的奇想，和尊重他的信心。奇想爲發展之本，信心爲成功之本。任何人在偉大之前，都是平凡的。有些妻子提起她那平凡的丈夫，會把他說得一文不值，悲夫，那個丈夫就倒楣定啦，一輩子不能翻身。

第十　這是最後一條，歸根到底，仍是老生常談的一句話，一個妻子如果能常在適當的場合，用適當的表情，告訴丈夫說她愛他，三個字足抵得千軍萬馬。萬萬不要因它是老生常談，談得早煩死啦而忽略之也。有些人反對如此，曰：『那不是太虛僞乎？』非也，虛僞不虛僞全在內心，如果心裡愛他愛得要命，說了出來，難道就成了假的乎？不說出來，只不過是嘴硬，而嘴硬實在不是啥美德。如果心裏早不愛他，難道口中不言，就會變成眞的乎？婚姻是一個新藝綜合體，『我愛你』是畫龍點睛之筆。

以上十大信條，是說給妻子聽的，稍微改幾個字，就變成說給丈夫聽的，請一舉反二，柏老可不是一面倒也。

愛情與金錢

家庭的基礎有兩個焉，一曰愛情，一曰金錢，缺一不可。有些男女鬼迷心竅，一味崇拜愛情，認爲只要相愛，三天不吃飯，只喝涼水都能不餓，那是少不更事的看法。嗚呼，有一點說穿了準教人發脾氣，貴閣下仔細研究過沒有？離開金錢，便沒有愛情，至少也要影響愛情，而終使之破滅。有些愛情如火的少女，除了愛情，啥都不要，可是一旦愛情到手，固仍是啥都要也。柏楊先生總是在想，王寶釧女士苦守寒窰十八年的事，實在大大的可疑，恐怕根本沒有王女士那個人。這不是我瞧不起愛情，而是我不敢瞧不起金錢。

和這恰恰相反的，也有些人昂昂然自以爲深得人生三昧，見了錢眼睛就花，認爲只要對方有錢，我便快樂，愛情算個屁哉。這是一種聰明透了頂的看法，沒有錢絕對痛苦，但如果把快樂單獨建築在金錢上，那比單獨建築在愛情上還要危險。這不是柏楊先生忽然板着面孔亂訓人，而是，一個人的慾望如果只是追求金錢或權勢，他便永不能獲得滿足，而不滿足便不能快樂。

愛情和事業間的矛盾，是人生最大的痛苦，根本無法調和。一個男人如果不努力上進，那算個啥東西？可是一旦努力上進，或負笈海外，或天天不在家，都無法跟妻子長相廝守。某一美國雜誌上曾著論曰：美國太太們俱樂部之風最爲流行，因她們太孤寂啦，甚至想偷情都沒有對手。蓋所有的男人都忙，爲激烈的生活競爭而掙扎，有偸情工夫的人也不多。不過，一提起『事業』，容易使人生出一種肅然起敬的偉大之感。趙先生開了一家工廠；錢先生開了一家公司；孫先生竟然造了七八條船；李先生留學美國三十載，回國後當了大官；周先生的官更大，二十年前還是科員，如今當了部長，不但一呼百諾，而且又是供給制；其他武先生、鄭先生、王先生，無不位尊而多金。這就是一般人心目中的事業矣。趙雲先生所謂『事業』，大概不外如此。對於這些，我們一點也不輕視。問題是，聰明透了頂的人常攻擊愛情算個屁，事業第一，嗟夫，其實上述的那些玩意，恐怕也只能算個屁，如果那也叫事業，也値得煞有介事的洋洋自得，那才是黑無常見了白無常者也。我想沒有幾個人的事業比得上吾友凱撒大帝，但凱撒大帝臨死時，念念不忘的不是他的事業——羅馬帝國，而是他的嬌妻愛子。（帝國這玩意比起一個工廠，或一個公司，或一個官，如何了哉？）有一首元曲眞該看看，曰：『袖遮銀燈，手掩書卷，帶笑呼郎聽妾言。天到這般時候，你還不眠。不見那鐵甲將軍夜渡關，不見那朝臣侍漏五更寒。全部是爲功名辜負了鴛鴦枕，爲富貴忘卻了豔陽天。郎啊，你縱有錢，難買妾的青春美少年。』

嗚呼，愛情和金錢——也就是事業，像兩個翅膀，缺少一個，便不能起飛，硬要它起飛的話，準跌得頭破血流。一腦筋幻想的愛情至上主義者，和視錢如命的拜金主義者，都不能產生幸福的婚姻。如何使二者平衡發展，或二者衝突時，要哪一個，棄哪一個，那就要看各人的智慧，和各人的運氣矣。

人是會變的

天下只有一件事，雖經過滄海桑田，天翻地覆，千討論萬討論，討論到世界末日也討論不完的，那就是男女之間的愛情。隨著經濟演進，和社會結構的不同，及當事人的文化內涵，和生活背景的不同，問題也越層出不窮。

時報週刊國內版記者元璣女士，曾在今年（一九七八）八月間，訪問我老人家，教我就它們的『聽名人談愛情』專欄，發表發表高論。我一聽我竟然被封為『名人』，不禁大喜若狂，當時就硬拉她到豆漿店吃了一頓燒餅油條，隆重的報答她提携栽培之恩。那篇訪問記於該刊第二十九期刊出，題目豪華，曰：『聽聽柏楊的名言：愛情的諾言不是支票，是便條。』『愛情——糊塗的代名詞』。立刻我就飄飄然兼然然飄，不過她閣下竟然直稱我的御名，而沒有加上『先生』二字，使我生了一肚子悶氣，看樣子那頓豐富的筵席算是白請啦。

這且按下不表，表的是我對愛情的看法，事過境遷，對於該訪問所寫的（當然是我自己哇啦哇啦講的），我想對某一部份作一點修正——例如對『結婚』和『同居』，不僅作一點修正，簡直作二三四點修正。吾友梁啓超先生曰：『我不惜以今日之我，向昨日之我宣戰。』柏楊先生覺得死不認錯固是一種美德（現在有這種美德的人，車載斗量，多如驢毛），但偶爾效法效法梁先生，口吐眞言，也不能算嚴重缺點，不知道貴閣下然否乎也。

男女同居而不結婚的風氣盛行，是柏楊先生去年（一九七七）從綠島囚房隆重回到臺北後，所面臨的新生事物之一。最初是嚇了一跳，繼之是見怪不怪，其怪自敗，但心裏總有一個疙瘩。這種事情，如果發生在五十年前，沒有結婚的男女住在一起，同床共枕，勾肩搭背，儼然以夫妻自居，恐怕早被活活打殺。即令發生在十年之前，大家也會側目而視，與論沸騰，出門時說不定被頑童照後腦勺就是一石頭。可是現在人心大變，大變人心，大家對他們連一眼都不肯多看矣。有一天，我問一位跟她男朋友同居已三年之久的老奶爲啥不結婚，她曰：『結婚幹啥？』這一問使我一愣，她看柏老的學問並不像她想像中那麼偉大，就急忙解釋曰：『別食古不化，結婚和同居固一樣的也。』我反攻曰：『結婚和同居既然是一樣的，爲啥不結婚？』她曰：『結婚和同居既然是一樣的，爲啥要結婚？』我想了半天，雖然滿腹經綸，一時也無法抵擋，但心裏總不服氣。蓋還是老話，既然是一樣的，結婚至少不比同居壞，同居也至少不比結婚好，而結婚卻可以增加安全感，結婚後的家，才是生命的根。不結婚而同居，在傳統上稱之爲『軋姘頭』，形容它既不易穩定，而又不易持久也。所以柏老贊成結婚，那是人類進化的一個里程碑兼人類文化的一個結晶。

然而，這幾個月來，一連串碰到了七八個奇怪的婚姻——說它奇怪，是我老人家嘴下留情，事實上是一連串碰到了七八個恐怖的婚姻，使人毛骨悚然。終於發現同居而不結婚，也有它的實際價值。前面那位老奶一口咬定『同居跟結婚是一樣的』，反而淹沒了眞相，自己摧毀了自己的理論基礎。假如結婚跟同居果是一樣的話，拒絕結婚只不過强詞奪理，用以掩飾內心的某種徬徨和恐懼。問題是，結婚跟同居不一樣——不一樣就是不一樣，『同居』才有資格向『結婚』挑戰。

結婚固然帶給當事人安全感，但也帶給當事人束縛。——實質上，安全感的意義就是束縛，沒有束縛，那裏來的安全感哉。反正咱倆已經拜過花堂，按過脚模手印啦，你要想甩掉老娘，可沒有那麼簡單，法律和輿論都是站在奴家這一邊的。這是對老奶而言，對臭男人，則話的內容改兩個字就行，反正咱倆拜過花堂，按過脚模手印啦，妳要想甩掉老子，可沒有那麼簡單，法律和輿論都站在俺這一邊的。

我們當然希望世界上每一對夫婦都恩恩愛愛，都白頭偕老，誰也別甩掉誰。但人類是唯一會變的動物，這可不是指形態上會變，小蝌蚪游來游去，有一天忽然生出四條腿來，變成一隻亂跳亂叫的青蛙。一條使女人嬌聲尖叫的小毛蟲，爬來爬去，有一天忽然長出翅膀，變成了滿天飛，人見人愛的蝴蝶。這些形態上的變，人類可沒有這種本領。人類自吹是萬物之靈，在這方面只好自顧形慚。從娘胎呱呱墜地，生出來兩條尊腿，到死都是兩條尊腿，（除非出了可觀的車禍，被幹掉了一條）。生出來兩隻胳膊，到死都是兩隻胳膊，我敢跟你賭一塊錢，恁憑你法術無邊，絕不會再長出一條胳膊來。所以我們說的變，不是架構上的變，而是心理上的變，意識形態上的變。

心理上和意識形態上的變，是人類所獨佔的特質，其他動物就沒有這麼複雜。從小貓成長到老貓，習性一貫（老貓不過比較懶得再抓老鼠罷啦）。從小狗成長到老狗，習性也一貫（老狗只是很少再有興趣聞聲而吠，偷咬窮朋友的小腿）。但人類不然，不但女孩子在變，男孩子也在變，不但中年人在變，老傢伙也在變。這些變研究起來，都有脈絡可以追尋，也都有連鎖過程可以分析。但那都是事後有先見之明的人幹的勾當，實踐時很少排上用場。貴閣下在一個適當的場合中，遇到一個千嬌百媚，腰纏萬貫，學富五車，對你傾心兼崇拜，百依兼百順，你暈頭轉向之餘，咕咚一聲就掉到愛情的深井裏，抓恐怕還抓不牢哩，研究分析個屁。

吾友汪精衞先生，想當年刺攝政王，『引刀成一快，不負少年頭。』何等英雄，後來却當了大大的漢奸，這一變變得太厲害，教人招架不住。吾友寒霧女士，她在學堂唸書的時候，跟另外兩位女同學感情至篤，柏楊先生曾稱之爲三劍客，三劍客之一的一位老奶，一提基督教就火冒三丈，有一次幾個同學乘車郊遊，在車上抬起基督教的槓來，話不投機，她閣下在中途就堅持下車，當車不停時，她就往下跳，嚇得一羣老奶哭爹叫娘才把她抱住。可是五年前她去了美國之後，忽然間信了吾友耶穌，這一信就驚天動地，如瘋如狂，以致寒霧女士連封信都無法跟她交通，該老奶滿紙都是『哈利路亞』，簡直插不上嘴。

（柏楊先生按：本選集出版時，寒霧女士早於四年前信了吾友耶穌，現在輪到我見了她除了主耶穌之外，完全無可說。人是會變的，又一明證矣。柏楊先生禁不住嘆一句，悲夫，寒霧女士則必來一句：感謝上帝矣！）

柏楊先生另一位朋友的兒子老爺，在大學堂之時，英姿煥發，辦雜誌，組社團，讀訓導主任瞪眼的『邪門』之書，好友如雲，豪氣千秋，天塌啦都敢頂住。十年不見，前幾天一見，竟然是另外一個人。他閣下一出校門就做生意，發了大財，三句話就有一個『錢』字，而且以

『錢』作爲衡量價値的唯一標準。他本來叫我『伯伯』的，因我的銀子太少，現在的稱呼已改爲『老頭』矣。（我想，我如果想恢復『伯伯』的身分，恐怕得跟洛克斐勒先生結點親。）最精彩的是，他深有『悟以往之不諫，知來者之可追。實迷途其未遠，覺今是而昨非』的沉痛覺醒，認爲過去都是年輕不懂事時的瞎胡鬧，錢才是唯一的生命內容。又斜著眼教訓我曰：『老頭，你辛辛苦苦寫稿，能賺幾文？我往證券交易所一個電話，抵你寫一輩子。』我洗耳恭聽，連嗝都不敢打。

我們現在討論的不是『是』『非』問題，而是『變』的現象問題。總而言之一句話，人的思想和意識形態是會變的，至於如何變，啥時候變，變向何方，不但局外人不知道，連自己都不知道。詆之爲『隨波逐流』也好，頌之爲『適應時代』也好。反正是，人是會變的動物。

把兩個會變的動物——一男一女，用結婚的形式拴在一起，而且一拴就是十年二十年，甚至五十年六十年，那簡直是世界上最大的冒險。如果男女同時都朝一個目標變——這種情形並不罕見，所謂『一條被蓋不住兩樣人』，夫妻間是互相影響的，不僅影響思想，影響意識形態，有時候甚至還影響長相，那當然甚妙。可是，如果一個變一個不變，或者一個往東變，一個往西變，那麻煩可就大啦。當思想的和意識形態的層次越來越有距離時，愛情就會越來越消失。如果兩個人只是同居關係，那就比較好辦。如果是結了正式之婚，恐怕要脫層皮。

愛情效用遞減律

我們上次討論到人類的思想和意識形態是會變的。陳韙先生曰：『小時了了，大未必佳。』同樣的，『小時混蛋，大未必不佳。』吾友愛因斯坦先生在讀小學堂時，算術就不及格，以致教習肯定他將來能有碗飯吃就三生有幸啦。吾另一友文天祥先生年輕時花天酒地，除了美女醇酒外，對啥都沒有興趣，可是一旦國家有難，他却起兵勤王，而且在兵敗被俘之後，又從容就義。

人類的理智系統固然會變，人類的感情系統更會變，而且比理智系統變得更厲害百倍，蓋感情的特質就是不穩定和不一貫，如果它可以始終穩定和可以始終一貫，那就不是感情人，而是木頭人矣。貴閣下看過電視劇『根』乎，兩個小女孩從小在一塊玩，親密得像一對同胞姐妹。可是一旦白女孩成長到能夠分辨她的玩件是一個黑女奴時，她立刻就端起來奴隸主的架子。四十年後，當她們再度相遇，黑女孩仍懷念兒時的純眞，白女孩却早忘了個淨光。黑女孩（當然，現在她們都是老太婆矣）把唾沫吐到白女孩的水瓢裏，這唾沫代表她的憤怒，也代表她的悲哀，我想她內心會向上蒼吶喊：『友情，友情！』

友情是感情的一種，愛情是感情的另一種。嗚呼，哪一對離婚的夫婦，想當年喜氣洋洋，大宴賓客，相對三鞠躬時，不是愛得要瘋要狂哉。柏楊先生從前接到朋友寄來的喜帖，記下酒席的時間地點之後，就一扔了之。現在我却把它保存起來，保存起來不是準備五千年後當古董賣個好價錢，而是我要慢慢的觀察這個婚姻，看它能維持多久。等他們有一天鬧到公堂，互相把對方罵得一文不值時，我就把該喜帖原封寄上，發發他們思古的幽情。

——柏老這些時忽有奇想，我打算辦一個『離婚展覽會』，把一些離婚夫婦想當年的結婚喜帖，一一亮相。一個喜帖一個專櫃。附帶陳列想當年笑逐顏開的一些結婚照片，如果有想當年恩愛的文章和恩愛的談話（像作家和電影明星之類，這類文章和這類談話，浩如烟海），當能引起不少人的深思。

愛情是會變的，誰要是不相信這句話，誰就得付出不相信這句話的代價。正因爲它是會變的，所以熱戀中的男女，誰都不敢肯定對方不變，最恐懼的也是對方忽然冒出孫悟空先生的武功。所有海誓山盟和海枯石爛的誓言，千句話、萬句話，再加上一百萬封情書上的話，不過兩句話：『俺到死也不會變，你到死可也不要變。』有些情侶既沒有自己不變的自信，也沒有信心相信對方會老實到底，徬徨之餘，甚至乞靈於耶穌基督和觀世音菩薩。曾有一對年輕男女，特地跑到廟院裏，在地上鋪滿爛磚碎瓦，光著雙膝跪在那裏，血流如注，對神明立下血海大誓。結果還算不壞，結婚結了十年，生了一個女兒，然後離婚如儀。唯一愛情不變的證據，是膝蓋上的兩個疤。

感情是情緒的累積物，一個人的情緒一天就不斷的橫衝直撞。早上起來，對鏡自照，容光煥發，一副前途不可限量的模樣，不由得心花怒放。一進辦公室，老闆板著晚娘臉正在找碴，懊惱起來，不由得心裏罵曰：『幹你老母。』下班之前，接到如花似玉電話，（對老奶而言，則是接到青年才俊電話。）約會『老地方』相見，立刻哼起流行洋歌，覺得這世界眞是可愛。可是第二個電話却是大嗓門討債精的，逾期不還，拳頭出籠，（柏老就常有這種艷遇）於是一肚子氣，深感人心不古，世道陵夷。如果再有嚴重節目，好比說，警察局通知『約談』之類，那就更如喪考妣，想一想，地球還是馬上崩掉算啦。

愛情旺盛時熾熱如火，低潮時若隱若現，消失時像幽靈一樣無影無踪。愛的時候，連體臭也是香的，不愛的時候，就是跳到香水缸裏泡三天，仍要掩鼻。有一位老奶每天睡覺時都要握住丈夫的手，否則就睡不著覺。另一位臭男人，每次看見他妻子穿高跟鞋走路的姿態，就情不自禁。可是到了後來，四口同聲的懊悔不迭曰：『我當時怎麼瞎了眼呀。』前些時電視長片演出『親愛的』，女主角是一位强哉驕型老奶，在一個窮作家跟一個義大利伯爵之間，努力選擇，結果意料中的選擇了伯爵，因爲伯爵擁有她所追求的一切，當然除了愛情，蓋有錢的男人很難甘願被一個女人纏住一輩子的也。有一天，她大氣之下，跑到英國，去跟窮作家幽會，顚鸞倒鳳一夜之後，窮作家堅持送她回羅馬，女主角哭得一枝梨花春帶雨，發誓曰：『我對你每一刻都是眞的。』窮作家嘆曰：『我相信妳每一刻都是眞的。』那就是說，每一刻的前一刻，和每一刻的後一刻，却都不是眞的也。嗟夫，在愛情的領域中，眞的難以持久，假的也難以持久。

因爲人類思想的、意識型態的，以及感情的會變，影響男女結合的穩定性。所以產生了結婚制度，希望這個制度像孫悟空先生的金箍一樣，套到一男一女頭上，使他們不能變、不敢變，至少使他們的變減少到最低限度。這個制度幾千年來果然大發神威，爲夫妻們帶來了相當的安全感。但它也有猛烈的副作用——爲夫妻們帶來了說不盡的悲劇。

吾祖柏拉圖先生大著『理想國』，主張共妻制度。（另一個角度來看，也就是共夫制度。）這可說明在紀元前五世紀時，結婚制度已出了非同小可的毛病，這毛病促使一位偉大的哲學家，為男女的結合，另起爐灶——反對結婚而贊成同居。當愛情存在時，愛情的力量是世界上最強大的力量之一，它可以使人死，也可以使人活，它可以使人承擔起他平常承擔不起的壓力，也可以使人做出平常做不出來的怪事——偷、搶、罵大街、亮兇器（不一定殺別人，大多的時候是自己抹脖子）。可是一旦愛情插翅飛走，連看一眼都恨入骨髓，而兩個人却被結婚制度硬生生的綁在一起，結局只有兩個，一是含恨終身，鬱鬱以歿。一是白刀子進，紅刀子出——老奶比較文明，可能只在丈夫茶盃裏放點巴拉松。

主要的變，是內在的變，一種先天性身不由主的變。上帝賦給人類的特質中，有『日久生厭』和『喜新厭舊』兩項原素，這正是人類進化的主要動力，但適應在愛情上，却像一個每隔一段時間就要爆炸一次的核子彈。一個貌如天仙的老奶，能使天下所有男人為她發癲，也能使她的丈夫在前十年為她如醉如癡，但不敢肯定她能使她的丈夫十年後仍保持原來熱度。經濟學上有效用遞減律，愛情學上同樣的也有效用遞減律。一位年輕妻子抱怨她的丈夫：『我穿再漂亮的新衣服，你連一眼也不看。』丈夫曰：『當一個人知道包裹裏是甚麼時，看那包裝紙幹啥？』這話教人傷心，但這還屬於輕一層的。游泳皇后伊漱惠蓮絲的丈夫，擁有既美又富的嬌妻，局外人想來，他眞是祖宗有德，應該整天暈陶陶才對，可是他閣下仍然常去酒吧找野食，往往打得頭破血出，登上報紙。中國皇帝劉徹跟英國國王亨利二世，後宮美女如雲，他們却跑到外面亂搞。於是老奶遂破口大罵天下臭男人沒有一個是好東西。不過這件事只有在傳統社會中，才由臭男人片面出醜，到了近代，老奶們氣吞山河，心懷大志，視臭男人蔑如也，當丈夫的恐怕越來越走下坡。從前『老婆是人家的好』，現在似乎正向『老公是人家的好』道路上發展。

問題到今天所以嚴重的是，隨着工商業的發展，社會的節奏加快，貴閣下如果看一些老電影——或電視長片之類，會發現十年前影片的情節和剪接，簡直溫吞水，受不了，受不了。社會的節奏加快，愛情的變化也跟着加快，不但老傢伙們吹鬍子瞪眼，不能適應。就是年輕的一代，首當其衝，也眼花撩亂，手足失措。

從一部電影說起

最近台北一連上演了幾部電影，都在探討『結婚』『同居』問題，其中的一部是『不結婚的女人』。

——用不着打聽，它是外國片。臺灣拍的電影也好，電視也好，大多數都在風花雪月和神怪中打滾（嚴格的說，中國沒有武俠小說，只有神怪小說，電影電視更等而下之），雖然也有幾部探討社會問題的名片，可是又堆滿了教條口號，把觀衆看成一大羣呆瓜，如果不耳提面命，就看不懂。看外國探討社會問題電影，就不必擔心有這種起鷄皮疙瘩的鏡頭。它用情節顯示一切，因之，柏楊先生推薦讀者老爺，如果買得起門票，理應前往一觀。

『不結婚的女人』，事實上是一個結過婚的女人。女主角在一家畫廊擔任打字員，大概四十歲左右，有一個十五歲的女兒，夫妻恩愛逾恒，安全、溫暖、生活優裕。直到有一天，當她興高采烈的跟丈夫商量如何如何度假時，丈夫却正色告訴她，他已另外有了女朋友，是一位比女主角年輕，只有二十五歲的女教習，而且決定先行同居。女主角一霎時天崩地裂，但她仍鎮靜的離開，走到她丈夫看不見的牆角，才大口嘔吐。

這是一個轉變，離婚像一把巨斧，把人生砍成兩段，她要從砍斷的地方重新學步。這事說起來寫起來，稀鬆平常，做起來就千辛萬苦，任何剛强的話都擋不住突然間呈現到面前的寂寞，以及遲暮之年、青春老去的恐懼。對愛情甜蜜的回憶只有更加深對愛情的厭惡；還有性慾的困擾，使她舉目茫然、焦灼悲哀。她向心理醫生訴苦曰：『我已七個星期沒有 Sex 啦。』心理醫生了解，那並不僅僅是 Sex，而是孤獨的情意結，告訴她放棄內疚，去另外找男朋友。她吃了一驚，但心理醫生曰：『人，總是人。』

於是女主角突然醒悟，不是醒悟她可以亂七八糟，而是醒悟到她的獨立自我。當天晚上，她就去酒吧，找到一位過去曾經打過她主意，而她又瞧不起的一個傢伙，直接了當的曰：『帶我到你的地方。』之後，當該傢伙邀請她明晚再來時，她平淡的曰：『我對你沒有任何承諾。』不久，她跟另一位畫家戀愛，情同夫婦，但她拒絕結婚——她已不相信結婚可以保障安全。她跟以前判若兩人，一個時代的新女性誕生，她不再是貼到男人身上的狗皮膏藥。更不是丈夫專用的『高等妓女』——受過高等教育，有高貴身世，丈夫喜歡時寵愛有加，丈夫變心時棄若破鞋的高等妓女。她心理上完全獨立，跟臭男人一樣的完全獨立。

這部電影給我們最大的啓示之一是，所有在電影上出現的女配角和男配角，都遭遇過婚變。只有一位老奶保持她的婚姻，但她付出的代價是，她必須含垢忍辱，用種種方法，對丈夫的外遇，假裝不知道。夫工商業越發達，離婚的比率越高。不要說頂尖的美國資本主義社會，離婚率已達百分之五十。縱是後起之秀的臺灣，也不得了。中國時報記者蒯亮先生，在今年五月二十五日該報上，曾有一篇報導，去年一年，臺灣有『十五萬四千四百八十三對新人，步向紅色地毯的盡頭。同時，也有九千一百四十二對怨偶，從紅色地毯盡頭又走了回來。結婚跟離婚的百分比，高達十六・八。』這是去年一年，今年如何，希望蒯亮先生能再爲我們作一統計。柏楊先生乃半仙之體，所以依我的陰陽八卦，除非經濟成長率停頓，離婚率一定比去年增加，而且有一年比一年增加的可能性。蒯亮先生在報導中說，有些官兒把離婚的原因歸罪於社會的浮華奢侈。用這一點點學識當官唬人，足足有餘，用之於解決離婚問題，恐怕是漂白粉洗烏鴉，無濟於事。離婚之所以發生，跟社會的浮華奢侈沒有定律的因果關係。而且幸好沒有定律的因果關係，如果眞有定律的因果關係，那就更糟，等於直接了當的招認根本無法解決。蓋只要是自由經濟社會，浮華奢侈就不能避免，如果能避免，那就不是自由經濟社會，必須重敲鑼，另開張，建立統制經濟社會矣。現在任何一個人如果有了銀子，他想買一台電視，就可買一台電視。他想買一輛汽車，就可買一輛汽車。同樣的，他想泡迷死，只要有迷死願意跟他泡，他就可照泡。（老奶也是一樣，她想泡臭男人，只要有不怕死的願意跟她泡，她也可照泡。）如果規定他的錢不准用來買某一種東西，或必須用來非買某種東西不可，那就得實行『糧票』『電視機票』『汽車票』制度，屬於另一個天地。

離婚是一個古已有之的老問題，遠在紀元前二世紀，朱買臣先生因爲太窮，賢妻大人就要求離婚，那時還沒有『離婚』這個含意平等的名詞，所以朱夫人要求朱先生把她『休』掉。以致演出京戲上『馬前潑水』的故事，對不肯安於貧賤的老奶，倍加諷刺，並教育一些有反抗心的老奶，忍受到底，萬勿蠢動。問題是，一個不能使妻子溫飽的丈夫，却大言不慚的猛吹他將來一定會飛黃騰達，實在教人生氣。朱買臣先生幸而以後發達起來，但這種人却不一定非發達起來不可。我們無意討論這件事的是非，而只是說，即令在古時那種非常不浮華不奢侈的社會，離婚照樣出現。不但古之時也，連具有嚴厲反離婚的英國王室，最近也向時代屈膝。想當初，英王愛德華先生因堅持跟離過婚的辛普森夫人結婚，而被逐下金鑾寶殿，成爲人們最崇拜的『不愛江山愛美人』的一代情聖。可是到了今年，女王伊利莎白二世的妹妹瑪格麗特公主，和女王的堂弟梅克爾親王，却先後起義，把這個嚴厲的絕不容忍離婚的傳統踢了個倒栽葱，把老公老婆趕出大門。

反對離婚最激烈的莫過於天主教，教皇保羅六世在世時，躺在病床上，還發出正義之聲，指摘離婚是『致命的道德墮落的指標』。然而就在他閣下御駕所駐之地，人口百分之九十是天主教徒的義大利共和國國會，却通過了離婚法案。使『義大利式離婚』——謀殺，成爲歷史名詞。嗟夫，結婚的基礎是愛情，愛情一旦烏有，基礎已潰，而偏不能離婚，用法律和古老的道德來維持婚姻的虛架子，眞是危險萬狀。丈夫也好、妻子也好，本來親親密密，如漆投膠，一旦成了擺不脫、甩不掉、打不爛的吸血螞蟥，不僅是不必要的，也是後果堪虞的也。吾友王爾德先生曰：『男女因誤會而結合，因了解而分開。』事實上有些人一直到離婚，對配偶都不了解，所以我們認爲是這樣的：男女因愛情上升而結合，因愛情消失而分開。當愛情上升時，誰都擋不住他們的結合，如果貴閣下跟一位如花似玉或青年才俊，愛得天昏地暗，要舉行結婚大典時，柏楊先生拍馬而上，嚎曰：『結不得呀！』我想準被揍扁，而且沒有一個人同情我老人家的苦口婆心。可是，如果貴閣下跟對方的愛情消失，恨得咬牙切齒，非離婚不可，柏楊先生經過上次教訓，覺得還是順着貴閣下的心意爲妙，幫腔曰：『對啦，對啦，離了好，離了好。』遇到衞道之士，砰的一聲，把一項『破壞家庭』的帽子扣到我尊頭上，我這把老骨頭，就有拆散的危機。

去年三月，華盛頓兩位美國佬李維茲先生，跟梅耶先生，互相交換殺妻。李維茲殺妻的目的是想跟另一位老奶同居，梅耶殺妻的目的是想得到美金十萬元的保險費。這眞是一件駭人聽聞的手段，兇案於一個月後破獲，兩個惡棍自有他們的下場。然而，我們想到的問題是，用結婚制度來保護的那兩位可憐的妻子，最後却反而因結婚制度得到慘死的結局。(李維茲的小女兒也一併喪生。)站在她們的立場，如果選擇離婚或被殺，恐怕寧願捲舖蓋，也不願挨刀。在這種情形下，竟然有保羅六世之流的衞道之士，英勇的攻擊離婚是不道德的，心腸未免過度毒辣。只顧板着嘴臉出售自己認爲的道德，不管別人的痛苦和生命，他自己不但是不道德的，而且簡直是喪盡天良的也。

大男人沙文主義

結婚制度主要的目的之一，是保護弱者，（在過去，弱者當然指的是老奶）和保護下一代的兒女。但實行的結果，有時候似乎不但保護不了弱者，反而保護了踩躪弱者的强者。阿拉伯世界，只要男人對女人說三聲『滾』，女人就得『滾』。女人可不能對男人說三聲『滾』，男人不但不會『滾』，恐怕還會拳脚交加。中國更不用說啦，首先是職業道德家一口咬定『女人是禍水』，（這句話不知道是誰發明的，眞應該推薦他得金脚獎。）有了這個堅强的哲學基礎，儒家『大哼』遂頒佈了『七出之條』，凡犯了七出之條中的任何一條，一律『休掉』。一曰：沒有生兒子。二曰：淫蕩。三曰：不能討公婆的歡喜。四曰：搬弄是非。五曰：偷東西。六曰：嫉妒。七曰：得了惡疾。

所謂『休掉』，就是『離婚』。不過離婚是現代語言，含有平等意識，爲大哼所不取。大哼取的是片面的『休掉』手段，可是，只准丈夫『休掉』妻子，却不准妻子『休掉』丈夫。朱買臣的太太只好逼着丈夫寫休書，不能逼着丈夫離婚也。

從這七出之條可以看出，醬缸文化中，男人眞是舒服舒服，老奶們不過是供老爺發洩性慾的工具，一不高興，就扔到荒山野外，不但沒有女權，更沒有人權。所謂沒有兒子，那就是說，僅只生了女兒也不行，蓋『女人不是人』也。夫不生育的責任，男女兩方，各佔一半。有一則黃色小幽默可說明老奶對這條的反抗，丈夫抱怨妻子不生孩子，妻子曰：『這你就要檢討啦，俺在娘家就生過兩個。』蓋生不生孩子，女人不能獨當一面，男人也應看看醫生。尤其是只生女，不生男，跟妻子更風馬牛不相干，而職業道德家却下得狠心，一推六二五，全推到女人頭上。至於淫蕩，言語模糊，如果是指通姦而言，還有話可說。但看語氣似乎並不如此簡單，妻子跟丈夫的親熱鏡頭，都可能列入淫蕩範圍，女人就更死無葬身之地矣。

不能討公婆歡喜，是傳統孝道的一環，而傳統孝道，如泰山壓頂，能把人壓得粉身碎骨。這一條在七條中，看起來最稀鬆平常，其實却是最殘忍的一條。年輕老奶所受的是丈夫跟公婆的夾擊，丈夫還有鬆懈的時候，一則他多少總有一點夫妻之情，一則一個正常的男人，白天總要出去工作，妻子還可以喘口氣。而公婆也者，却像兩個把熟了的老鵪鶉，不分晝夜的臥在窠裏，專找陌生媳婦的碴——一想起她奪走了兒子，就牙齒癢癢。尤其是婆婆，把當初自己當媳婦時所受的活罪，原封不動，甚至花樣翻新的回報給別人家女兒。諺曰：『三十年的媳婦熬成婆』，很少人當了『婆』之後，能回想往事，爲下一代解除那種當媳婦的痛苦。然而，這一條最可怕的不在這些，而在它能使臭男人可以隨時藉口『孝道』，橫逞兇暴。聖人之一的曾參先生，就靠這一條，幹掉了老婆。有一天，他的妻子爲他的晚娘煮飯，沒有把梨蒸熟，他就立刻露出『孝』的嘴臉，把妻子趕走。表面的理由是嫌她『不孝』，眞正的理由是啥，我們就不知道啦。

在一般人印象中，搬弄是非似乎是女人的特技，驅逐出境也罷。不過搬弄是非並不是女人的專利，尤其不是妻子的專利。公婆二老悶得發慌，也會張家長李家短閒嗑牙。臭男人的本領也不弱於老奶，坐在辦公室，擠在咖啡店，咬耳朵、搭肩膀，洩洩甲先生的隱私，掀掀乙先生的底牌，造造丙先生的謠言。說的人口沫四飛，聽的人又驚又喜。這種風景舉目皆是，却可安然無恙。偷東西是七出之條中最具體的一條，不必細表。但嫉妒就問題叢生，從前男人黃金時代，妻妾跟騾馬一樣，成隊成羣；而傳統的道德規範却硬性規定她們不准吃醋，吃醋就掛牌開除，眞是管閒事管到床單上啦。柏楊先生建議，最好把自稱或被稱爲正人君子之類的職業道德家，七八個人編爲一小組，共娶一位千嬌百媚，看看他們的表演如何，敢打包票，那一定大大的可觀。

至於說得了惡疾便得走路，更顯示出臭男人惡毒的一面。惡疾的定義是啥，也是言語模糊。如果指的是梅毒，古之老奶也，除了跟自己丈夫外，很少有可能跟別的男人睡覺，一旦有斯疾也，一定來自丈夫，可是兇手無事，被害人却得吃上官司。如果指的是砍殺爾，那麼，在骨瘦如柴中，被趕出大門，恩愛情義，一筆勾銷，縱是臭男人養了一條癩皮狗，也不忍心，對一夜夫妻百日恩的老奶，却認爲可下此毒手，天理良心安在，悲哉。

——寫到這裏，柏楊先生內急，等到從毛坑凱旋歸來，柏楊夫人一手提水桶，一手拿抹布，正在清理我的書桌。夫柏楊先生書桌的髒亂，名聞遠近，她閣下突然覺得這樣下去，有辱門楣，乃乘虛而入。但問題是，書桌雖然髒亂，却多少有脈胳可尋，被她那麼一搞，看起來明窗淨几，心曠神怡，可是却打亂了原有的脈胳，像扭了筋的大腿一樣，寸步難行。這也找不到，那也找不到，氣得我放聲悲號，本來要揍她一頓，以儆效尤的，可是根據過去寶貴的經驗，似乎以不動手爲宜。因之，我想上個條陳給有立法權的朋友，最好在『六法全輸』上加上一條——可稱之爲『一出之條』，凡老奶不經丈夫同意，胆敢擅自整理丈夫書桌的，不必經過告狀手續，做丈夫的有權把她閣下一脚踢出（如果老奶學過空手道，另當別論）。

一出之條是抗議文學的產物，七出之條是典型的大男人沙文主義的產物，職業道德家英勇的爲中國人的道德，訂下了雙重標準。女人輸卵管不通，不能生育，是犯罪的；男人輸精管不通，不能生育，不但不是犯罪的，反而說那是女人的錯。女人淫蕩通姦是犯罪的，男人淫蕩通姦不但不犯罪，反而是一項風流韻事，傲視羣倫。女人不能討公婆歡喜是犯罪的，男人不能討岳父母的歡喜，不但不是犯罪的，反而被稱讚爲有骨氣。女人搬弄是非是犯罪的，男人搬弄是非不但不是犯罪的，反而是見多識廣。女人偷東西是犯罪的，男人如果偷啦，當然也是犯罪的，但處罰起來，輕重相差天壤。女人嫉妒吃醋是犯罪的，男人嫉妒吃醋不但不是犯罪的，一旦捉姦捉雙，就可一刀二命。女人得了惡疾、不治之症是犯罪的，男人得了惡疾、不治之症，不但不是犯罪的，反而向女人倒打一耙。

嗚呼，五千年之久，中國女人就在這種愁雲慘霧中，求生不得，求死不能。不特此也，女人還要在歷史上擔任滅人家、亡人國的主要角色。被醜化了的夏桀帝姒履癸，跟商紂帝子受辛，他們明明是自己砸了鍋的，却偏偏怪罪施妹喜、蘇妲己。吳王國的國王吳夫差先生，是一個半截英雄，前半截英名蓋世，後半截昏了尊頭，興起誣殺伍子胥先生的寃獄，結果兵敗自殺。如此明顯的興衰軌跡，職業道德家却硬說都是他太太西施女士搞的。幾乎無論是啥，凡是糟了糕的事件，都要由女人分擔一部責任或全部責任。

在七出之條時代，臭男人有無限的權威，這權威建立在兩大支柱上，一是『學識』，一是『經濟』，結合成爲生存的獨立能力。女人缺少這些，只好在男人的鐵蹄之下，用盡心機，乞靈於男人的肉慾。男人喜歡細腰，女人就活活餓死；男人喜歡大胸脯，女人就打針吃藥，開膛破乳；男人喜歡纖纖小足，女人就拚命的纏——以致骨折肉爛，構成一半中國人是殘廢的世界奇觀。

然而，前已言之，到了二十世紀，老奶接受了教育，有了經濟獨立能力，一個個生龍活虎，强而且驕，臭男人開始覺得有點罩不住，只好隨波逐流，揚言他本來就是主張男女平等的，但心窩裏殘存着的大男人沙文主義，仍陰魂不散，不時的蠢蠢欲動。總覺得口號歸口號，實踐歸實踐，家裏總不能兩頭馬車呀。於是，人格分裂，一方面認爲老奶要現代化，學問龐大，儀態萬方，既猛賺銀子，又光芒四射。一方面又認爲丈夫仍是一家之主，仍要老奶保持七出之條時代侍奉丈夫的傳統美德。丈夫回到家裏，高喊累啊，蹺起二郎腿，天塌啦也不理。妻子回到家裏，一樣累啦，却不能喊累，仍要給丈夫端香茶，拿拖鞋，遞紙烟，趕蚊子（假設有蚊子的話），然後下厨房，舉案齊眉，餵飽之後，又要洗碗洗筷，打掃清潔，給丈夫放洗澡水，鋪床疊被。否則的話，臭男人輕則怨聲載道，重則暴跳如雷。經濟獨立後的老奶，表面上看起來解除了一道枷鎖，實際上却換上了兩道枷鎖。丈夫表面上失去了七出之條，實際上却仍高踞山頭，稱王稱霸。

這種大男人沙文主義的殘餘幽靈，製造出來的社會問題，正與日俱增。

三靠牌

大男人沙文主義，跟一〇年代哈爾濱的白俄一樣，在街上他是馬車夫，回到家裏他是爵爺，恢復宮廷禮節，仍擺出他那日落西山的貴族架子。現代社會結構，使除了少數富豪之家外，絕大多數的家庭，男人已無法一個人負擔家庭生計，不得不由妻子出外工作，賺銀子回來；如果稍微有點浩然之氣，自命爲一家之主，而今上不足以奉父母，下不足以養妻子，早就該跳井才對。可是臭男人殘餘的頑劣根性，不是短期可以治好的，却跟白俄朋友一樣，不但不跳井，反而在淪落成今天這個樣子之後，仍要關門擺譜，過過爵爺的癮。

我們最常聽到的是爵爺們掛在口頭上的話是：『我給妳帶孩子帶一天啦。』嗚呼，這眞是新鮮，孩子是兩個人生的，父母的責任當然一半一半，但在爵爺尊腦裏，妻子帶孩子天經地義，他閣下偶爾插手抱一抱，就皇恩浩蕩，妻子必須殺身以報。前些時，一對夫妻吵架，把柏楊先生召去評理，該爵爺慷慨激昂曰：『我在外面，從不玩女人，眞是守身如玉，這種丈夫怎麼樣？』老奶也慷慨激昂曰：『我在外面，也從不玩男人，眞是守身如玉，這種妻子怎麼樣？』該爵爺從沒有想到老奶會冒出這種針鋒相對的話，瞪了一會眼，吼曰：『柏老，你看這算啥話。』我曰：『這算啥話？這算人話。你說的話，才是狗齜牙話。』臭男人認爲他只要不玩女人，就是恩重如山，可進聖人廟吃冷豬肉啦。（其實，誰曉得他背後幹啥，有些只是沒有錢玩，有些只是沒有老奶愛他，急得亂跳。）而妻子不玩男人却理所當然，不値一提，蓋大男人沙文主義在肚子裏作怪，便身不由主的露出嘴臉。這是一種自私根性，一種不把女人當人的醬缸根性。

今年七月三十日，臺北聯合報載有花蓮縣一則新聞，恭抄於後：

『不久之前，防癌協會曾爲一位婦人作切片檢查，發現有可疑的病變細胞，於是通知她到醫院再作檢查，但沒有結果。這次陽明醫學院學生找到她，才知道她沒有再接受檢查的原因。訪問的學生當着她和她丈夫的面說，很可能癌細胞已擴散到乳部，應該立刻治療。婦人怯怯的問：「開刀大概要花多少錢？」訪問的學生說：「早期的話，約三、四萬元。如果已經擴散，可能要十幾萬元。」一直悶不吭聲的丈夫却大聲說：「十幾萬元開刀費？我寧可再娶一個！」』

下文如何，我們不知道，社會沒有反應，政府也相應不理，恐怕那妻子只有輾轉哀號，死在丈夫之手。如果這件事的男女主角調換一下位置，千嬌百媚在旁大聲曰：『十幾萬元開刀費？我寧可再嫁一個。』恐怕全國臭男人會一哄而上，活剝她的皮。這位丈夫的惡毒心腸，不是突發的，大男人沙文主義都具有這種心腸，不過有些修養好，有些運氣好，沒有露骨的這麼脫口而出罷啦。

不僅中國如此，洋大人之國也如此，美國女權運動，似乎是全世界崇拜的對象，可是就在他們國度，據參議院的調查，結婚後的老奶，遭受虐待的人數，竟高達五百萬人，佔美國人口四十分之一，佔美國女性二十分之一，佔已婚女性十分之一——那就是說，十個美國的洋太太，就有一位洋太太在經常挨揍中過日子。據參議院統計，在執行任務時殉職的警察，其中有五分之一，都是因爲干涉老爺揍老奶時，斷送老命的。以致參議院特地於今年八月一日，通過一項爲期五年的一億五千美金的授權法案，用以防止妻子們在遭受毒打或其他家庭中的暴力事件。

——嗟夫，女人，妳的名字是：可憐蟲。無論生在中土，或生在番邦，都同樣倒楣。不過柏楊先生朋友中，還沒有這種開揍鏡頭，可能是我所見不廣，也可能是諸朋友比較精神文明。不管怎樣吧，這是好現象。柏老就常提醒我所認識的一些老奶，如果臭男人動粗，妳就離婚，我老人家替妳打這場官司，頭破血流，在所不惜，硬是跟他豁上啦。

大男人沙文主義的心理背景是，他始終把妻子當作是他一個人專用的高等妓女——這是『不結婚的女人』女主角，於結婚十六年後，沉痛的發現。爵爺只要有銀子，就一以當百，自以爲可以把妻子從身體到靈魂，從娛樂到奴役，從白天到夜晚，統統包啦。即令害着『錢無能』惡疾，自己收入有限，養活不了家口，必須仰仗妻子做工（『錢無能』跟『性無能』遙遙呼應），這種『包啦』的心理，仍癢癢難熬，一直拋不掉又撥不開。於是自己爲自己豎起一個一面倒的極端自私的標竿：男人在外面亂搞是逢場作戲，不但是可以原諒的，簡直是必需的。可是女人如果在外面逢場作戲，『哎喲一聲帽子綠』，就天都塌啦。男人不進厨房是一種展示高貴的手段，偶爾做一次飯，立刻就宣傳得聯合國都知道。女人却必須天天鑽到灶火裏，香汗淋漓，偶爾有一天罷工，『她不給丈夫燒飯啦！』罪狀大得眞能使天下男人羣起擂鼓而攻之。

然而，大男人沙文主義的成因，也不能全怪男人，老奶們事實上要負一半責任——那就是女人依賴男人的心理，仍很濃烈。諺不云乎：『嫁漢嫁漢，穿衣吃飯。』古時候老奶都是三從牌：『在家從父，出嫁從夫，夫死從子。』蓋古之老奶，既沒有受教育，更沒有經濟獨立能力，在儒家學派禮教的壓迫下，不跟社會接觸，只好一切聽男人擺佈，不管他是老男人或小男人，反正女人不是人，只是男人的附屬品。於是老爹可以賣女兒，丈夫不但可以賣妻子，還可以宰妻子。幸虧歷代政府都勵行孝道，兒子還沒有把老娘賣之宰之的；但即令刑法森森，虐老娘餓老娘的節目，固層出不窮。二十世紀後，女人已受教育，已有經濟獨立能力，有些老奶一個月賺的，比爵爺多三四倍。但她們的心理狀態，多多少少，仍停滯在古老的傳統之中，只不過從三從牌進化到三靠牌：『幼年靠父母，中年靠丈夫，老年靠銀子。』三靠牌比三從牌要向前邁了一大步，老奶也好，老公也好，終於發現兒女不可靠，而忍痛犧牲，只要有銀子，晚景照樣快樂。靠父母是不變的，它無法變，再偉大的人物，幼年都要靠爹娘撫養。問題在於『靠丈夫』也不變，而這正是促使大男人沙文主義烈火熊熊的能源。貴閣下聽說有幾個男人心懷大志靠妻子的乎，靠妻子的男人，無論是靠妻子本身或靠裙帶關係，總覺一百個不是味，（至少，他在外面亂搞時，心情沈重。）只有老奶的靠勁不衰，幾乎所有老奶，都在虎視眈眈，搜索腰纏萬貫的大亨，以便嫁而吃之。柏楊先生說這話，有一篙打落一船人之嫌，但即令是愛情第一，也是追求『終身有靠』。臭男人就利用這種弱點，翻雲覆雨。妳不是要靠我乎，那麼，妳既然享受『靠』的權利，就要為『靠』而盡被丈夫管制的義務。即令妳學問衝天，日進斗金，也得聽我的。否則的話，我就叫妳吃不了兜著走，哼。

柏楊先生認識一位如花似玉，芳齡三十，美利堅某大學堂英國文學博士。結婚之後，愛情遞減，丈夫是個商人，有錢得要命，另行金屋藏嬌。但仍供給她臺北最高級的住宅，最高級的汽車，以及夠她揮霍的銀兩。蓋爵爺有許多高級宴會場合，需要她亮相並翻譯也。這位老奶有高度的經濟獨立能力，但她却心甘情願接受這種『包啦』的待遇，她的一些酒肉朋友也認爲這樣未必不是上策。蓋一旦離婚，剎那間她就要承當逼面而來的現實，酒肉朋友首先會逃跑一空。左思右想，還是靠到底吧。

所以，女人僅只經濟上有獨立能力，似乎還不夠。如果心理上不能獨立，那只有更苦——社會家庭兩頭忙。必須心理上有獨立能力，才算是眞正的人格獨立，才有資格完成自我。『不結婚的女人』的女主角，她是一直到後來才在心理上獨立的，她對鬍子臉的態度，可作爲說明。她不靠他，當鬍子臉邀她去看他，去他那裏度假時，她困惑的問曰：『你爲啥不能來看我，來我這裏度假？』大男人沙文主義最恐懼、最痛恨的，正是女人這種心理上的獨立能力，那將剝奪他當爵爺的情趣。所以鬍子臉把一幅一人高的巨畫交給女主角，自己揚長而去。這至少有兩個意義，一個是，大男人沙文主義要給心理上獨立的老奶，一個結實的教訓；妳不是認爲妳不『靠』男人哉，好吧，妳試試看那是多麼困難。（其實，把那巨畫交給一個臭男人，臭男人也得焦頭爛額。）另一個意義是，心理獨立並不輕鬆，但女主角拿著那巨畫在街頭狼狽的橫衝直撞時，心情是平靜的，臉上並沒有懦弱惶恐的表情。她知道跟『靠男人』的傳統挑戰，她就要自己處理自己的困難。

心理獨立固然要付出獨拿巨畫的代價。心理不能獨立，依靠男人，她付出的是依靠男人更高的代價。

奮鬪的目標

臺北文昌街讀者老奶湯明昭女士來了一信，討論離婚問題，原文恭抄如左：

『十一月二十六，你在「從一部電影說起」之中，贊成離婚，但許多無辜的孩子受破碎婚姻的影響而自卑，而自暴自棄，不曾領受「愛」的孩子，又怎能去關心、信任，對他人負責？在人格上的發展不健全，帶給社會的又是怎樣的結局？充其量也是另一樁不幸婚姻的開端。

『正由於社會上離開地毯的那一端的怨偶日漸增加，更應倡導中國固有的家庭倫理。爲響應文化復興節，教育當局剛剛發動學生做「夫唱婦隨」「相夫教子」壁報，我所教班上的學藝股長，在製作壁報時，不禁暗暗飲泣，原來她就是父母離異下的犧牲品，不曾領略到母愛的溫馨，却要配合此一主題，豈不是她自己的一大諷刺。

『禁止離婚有其積極意義，如果某人只有一件衣服或一支筆，一把梳子，一定加倍珍惜，絕不會輕易丟棄，婚姻何嘗不是如此。如果心存「合則留，不合則去」的觀念，又怎會細心培養愛情的花朶？我只是一個普通的天主教教友，我所見到的教會朋友，都是恩愛夫婦，享受家庭的溫暖。也許因爲God is Love，或秉持「基督是我家之主」，即使有爭論，也坦誠交談，化除誤解隔閡，豈不比勞燕分飛的下場要來得幸福？

『無論社會如何變遷，人們總還是嚮往圓滿的婚姻生活，人生才有奮鬥下去的意義（見讀者文摘上一篇專文，曾有調查可證）。臺北家事法庭上常可見到一些草率成婚者分手的現象，到底是什麼原因呢？也有可能是把離婚看得太隨便了。

『我們教會在世界各地辦痲瘋病院、孤兒院、養老院，對抗無神論共黨主義，至若雷鳴遠神父，倡導抗戰救國，于斌樞機主教，爲國奔勞，等等善行，尚不易感化教化同胞。如今你這篇大作，可摧毀多少傳教成果？不妨三思而後下筆，則教會幸甚。耶穌曾在山中聖訓中說：「締造和平的人有福了。」如果有任何高見，我和我的朋友們（各行各業的教友），願和你竭誠討論。』

湯明昭女士這封信，充滿了平靜祥和，說明她有一個溫暖的家庭，但同時也代表一部份人對越來越『多元』的社會，抱着天眞可愛的『單一』看法。而且又因爲我沒把話說淸楚的緣故，多少有點誤解我的本意。事實是，我跟湯明昭女士一樣的認爲：『人們總是嚮往圓滿的婚姻生活。』因此，在原則上，我並不贊成離婚；但在個案上，有些已破裂到不能復合的婚姻，我們沒有權利反對他們離婚；甚至在某種情形下，我們還要鼓勵他們離婚，幫助他們離婚。

——柏老說了一大串，只用了一個句點，爲的表明那是一個完整的句子，千萬不能分開。如果斷章取義，像抓住小辮子似的猛喊：『你鼓勵離婚呀。』那就是存心一棒子打死人。另一個我跟湯明昭女士觀點一樣的是，離婚的受害人往往是孩子，一個家庭破碎下的孩子，是天下最可憐的幼苗。湯女士所擧的那個學藝股長，就是一個例證，令人鼻酸。問題是，離婚固然傷害了孩子，難道不離婚的怨偶就不傷害孩子乎？一個白天雲遊四方，晚上酒醉醺醺的丈夫，甚至把女朋友帶回家，教妻子服侍，稍不如意，就拳脚交加，這種魔窟式的家庭，就不傷害孩子哉？一個日夜都在外面交際應酬，男朋友如雲——男朋友如果只固定一個，那就更糟，然後鮮衣香車，把丈夫當成寃大頭的妻子，這種妓院式的家庭，就不傷害孩子哉？一個整天沉湎在牌桌上、賭場裏、舞廳裏，或酒家中，在外笑容可掬，回家怒目相視，一罵就祖宗三代出了籠，茶盃橫飛，菜刀亂舞，這種火坑式的家庭，就不傷害孩子哉？一個夫妻間已搞得毫無感情，二十四小時不交談一句話，唯有大眼瞪小眼，這種冷戰式的家庭，就不傷害孩子哉？

有些婚姻上的爭論，固然可以『坦誠交談，化除誤解隔閡。』但這種爭論必須不涉及婚姻的基石，一旦超過某一種限度——好比，有另外一個愛情介入，這種方法恐怕不靈光。『不結婚的女人』女主角，她能靠坦誠交談使她丈夫化除誤解隔閡耶？蓋其中根本沒有誤解隔閡，只是臭男人想找一個更年輕漂亮的而已。湯明昭女士所稱讚的『我所見到教會朋友，皆是恩愛夫婦，享受家庭的溫暖。』湯女士的話是眞實的，但不是必然的、定律的也。教會朋友家庭鬧得一場糊塗的固多得很，義大利是天主教的大本營，在離婚法案通過前，因國法嚴禁離婚之故，以致逼得對方只好訴諸謀殺。而湯明昭女士所崇拜的于斌先生，他閣下的弟弟，就硬是把賢惠的妻子遺棄，另結新歡，遠走美利之堅，那位賢惠的妻子恐怕是無法靠坦誠交談，使丈夫回心轉意。——寫到這裏，順便一問：這位賢惠妻子應該怎麼辦？她應該從一而終，硬守到底？或她應該提出離婚之訴，另組幸福家庭？湯明昭女士如果堅持前者，柏老不得不效法吾友耶穌先生的口吻讚曰：『當男人的有福啦，當女人的有禍啦。』如果認爲後者可行，那麼，我們的意見一致。在敝大作的結尾，柏楊先生曾舉出美國兩樁殺妻兇案，現在我要逼着湯明昭女士跟教會朋友們回答：妳認爲應該連同孩子一塊挨刀子也不離婚耶？或是妳認爲應該離婚而保全自己的性命，甚至丈夫的性命耶？答案如果是認爲應該選擇挨刀子，對這種慷他人之慨的道德觀念，柏老就望風而逃，豎起降旗。如果認爲離婚比命喪黃泉好，我們就沒啥槓可抬的。

關於孩子問題，『不結婚的女人』給我們提供了一個高貴的榜樣。女主角被遺棄後，女兒十分恨她的老爹。但女主角抱之泣曰：『他沒有離開妳，乖兒，他還是妳的父親，他離開的是我。』她把女兒當成『人』，沒有要求女兒爲自己犧牲，沒有利用女兒去打擊拋掉她的丈夫，沒有利用女兒轉嫁自己憤怒的情緒。如果換了我們的社會，我敢打包票，恐怕做媽媽的會使出渾身解數，教女兒把老爹恨入骨髓。柏楊先生不知道那位學藝股長家庭變化的情形，但可以推測的，父母一定互相把對方攻擊得體無完膚，使女兒心上的創傷更爲慘重。

湯明昭女士要我們『更應倡導中國固有的家庭倫理』，嗚呼，柏楊先生想這件事可不能囫圇吞棗。父母夫妻兒女相親相愛，是任何一個國家都有的倫理，非中國所獨有。中國獨具隻眼的家庭倫理，如柏楊先生上次介紹的『七出之條』，我想還是不倡導的好，不但不宜倡導，簡直應該斬草除根。如果眞要倡導，恐怕臺灣半數以上的老奶，都要被『休掉』，中國早成了世界上的野蠻大國矣。至於發動女學生『夫唱婦隨』『相夫教子』，因爲是教育官頒佈的，柏楊先生不敢有啥異議，過去因爲跟官異議太多，幾乎斷送了腦瓜皮。不過看樣子，翻來覆去，仍是大男人沙文主義，仍是把女人當成附件，即令大獲全勝，也不過製造出來一大堆三從牌或三靠牌。在可敬的教育官英明的領導之下，丈夫如果偷雞摸狗，妻子就得牆角把風，如果她不肯，她就得滾。

湯明昭女士曰：『禁止離婚有其積極的意義。』柏老的意見恰恰相反：『不禁止離婚有其積極的意義。』配偶是『人』，不是『物』，即令是物，一雙太窄的漂亮鞋子，穿起來磨得血流如注，潦泡密佈，寸步難行，天下就是只有這一雙，人們也寧可光脚丫。愛情不能用功利培養出花朵，一旦『除了我你找不到別的女人』『除了我妳找不到別的男人』，那是做生意的商業態度。

湯明昭女士又曰：『你摧毀多少傳教成果。』柏楊先生的蓋世名著，爲自己招災引禍，足足有餘。破壞天主敎的偉大傳敎，可沒有那麼大的勁。湯女士家庭美滿，難道看了俶大作，就雙雙去法院告狀離婚哉。而義大利的謀殺，于斌弟弟的遠走高飛，以及美國兇殺案，都發生在俶大作之前，這種亂飛帽子的武功，我可有點心跳。

最後一句話，我們奮鬥的目標是：女人跟男人一樣的也是人，也是獨立的人。女人有拒絕大男人沙文主義的權利，有拒絕當男人附件的權利，有拒絕被男人騎到頭上吆五喝六的權利，有主動提出離婚的權利。

『跑不掉』泥沼

人就是人，不是物。人的特質是有靈性，有感情，有智慧，和有選擇愛情的能力。物就不然啦，它啥也沒有，砍它一刀它不會叫，踢它一脚它不會跳。所以圍棋第一等高手，看他在棋盤上妙計百出、左包右抄、前埋後伏，把對手殺得雙膝下跪。可是，如果敎他眞的去指揮作戰，恐怕準成爲『帶汁諸葛亮』，除了淚流滿面，就是淚流滿面。蓋棋子是『物』，往那裏一放，雖然陷入重圍，仍篤定泰山。貴閣下閱棋多矣，有沒有見過緊急之時，棋子忽然生脚，溜之乎耶？有沒有見過全軍覆沒之際，棋子忽然號啕大哭，聲震四野乎耶？一局棋罷，各歸原位，仍是棋子。而戰士們一旦被『砰』的一聲，就永遠消滅。下局棋用的仍是上局棋死掉了的棋子，而第二次戰役用的却不再是第一次戰役死掉了的戰士也。

人跟物的差異，十萬八千里。湯明昭女士把夫妻的一方，用『物』來比喻，心理上先已不把人當人，只當可供用的東西。丈夫也好，妻子也好，絕對不是『一件衣服』『一支筆』『一把梳子』。貴閣下嫌衣服太寬，可剪之使窄；但貴閣下如果嫌丈夫或妻子太胖，恐怕無法揮動大斧，削下幾片人肉。貴閣下剛寫罷一篇蓋世名著，把原子筆往桌上一摔，摔成兩截，沒人說話；但貴閣下如果把丈夫或妻子一摔，不要說摔成兩截啦，就是頭上摔出一個大包，恐怕後患就夠無窮的也。貴閣下懶惰成性（或勤快成性，天天去理髮店馬殺雞），三個月不用梳子，關在鐵匣裏，毫無怨言；但貴閣下如果把丈夫或妻子關起來，恐怕三天都會成爲報上頭條新聞。

湯明昭女士認爲婚姻關係只要『定於一』，對方就『一定更加珍惜』，嗚呼，這只是『人』和『物』的關係，不能閉着尊眼推理，認爲『人』和『人』的關係也是如此這般。柏楊先生小時候，曾有一項奇遇，柏府附近，有條深可沒頂的小河，一位青年才俊把兩個大葫蘆綁到腋窩，往水裏一跳，竟然浮了起來，游到對岸，觀衆掌聲雷動。他想，如果把大葫蘆綁到腰窩，豈不是上半身全部露出水面，更悠哉遊哉耶，於是果如所料，觀衆再度掌聲雷動。他就又想，如果把大葫蘆綁到脚底板，豈不是簡直可以踏水而行，在水面上健步如飛耶，於是，只聽噗通一聲，這次沒有果如所料啦，觀衆也沒有掌聲雷動，而是一陣驚叫，七手八脚的救人。蓋該青年才俊跳到水裏之後，頭重脚輕，大葫蘆上浮，尊頭下降，來了個倒栽葱節目。水面上只見兩個拚命掙扎的大葫蘆，不見人踪。等到好容易把他閣下救出，已淹了個半死。

湯明昭女士用的似乎是這種大葫蘆邏輯，把『人』與『物』之間的關係，認爲也可以應用到『人』與『人』之間的關係上——尤其是夫妻之間的關係上。一個人擁有世界上唯一的一塊寶石，當然百般愛惜，不是至親好友，連瞧一眼都棉花店失火，免談。可是在婚姻上，如果某一個女人，鐵定的屬於某一個男人，或某一個男人，鐵定的屬於某一個女人，不但不見得發生『一定加倍珍惜』，恐怕反而更不珍惜。原因很簡單，在傳統的男性中心社會中，臭男人力大無窮（包括體力和財力），一旦發狠曰：『我珍惜妳是妳的福，我折磨妳是妳的命。』結果老奶得到的不是加倍的珍惜，而是大葫蘆朝上，加倍的倒栽葱。

吾友丹扉女士曾畫龍點睛說過：在有些女人眼中，丈夫會跑掉，而老爹跑不掉，所以對丈夫百依百順，對老爹就五雷轟頂。在有些男人眼中，嬌妻會跑掉，老娘比老爹更跑不掉，所以嬌妻的重要性也同樣的後來居上。丹扉女士是爲探討孝道而寫的，柏楊先生借來說明我們的論點，夫父母子女間是天倫的愛，父母揍子女而仍愛子女，子女忤逆，也不能使父母改變心腸，親情似海，十指連心，怎麼跑都跑不掉焉。而夫妻之間是人倫的愛，可能一個巴掌就報銷了十年婚姻。湯明昭女士硬要把人倫的愛變成天倫的愛——『跑不掉』的愛，本質上絕不可能；因爲絕不可能，所以危險萬狀。父母子女之間『跑不掉』，有先天的無盡愛心在支持，夫妻間一旦陷入『跑不掉』泥沼，那只有哀哀一生。

今年十二月十五日臺北聯合報，有一則新聞，照抄於後：

『彰化市一位苦命女，家庭貧困，國民初級中學畢業後，到一家紡織廠工作，工廠小開看她容貌不錯，千方百計追求，對方父母也在旁協助，使她與小開發生關係，當她知道已懷孕時，對方同意結婚，保證全心全意愛她。但是，結婚之後，立刻就變了。丈夫開始對工廠中其他女子動腦筋，醜聞時傳，爲了面子，她都忍了。而丈夫好吃懶做，不出數年，工廠倒閉，丈夫就在家睡覺吃飯，一點不爲孩子著想。她只好背着孩子，住到娘家，每天到一家工廠去做工，維持家用。誰知她的丈夫趁她外出工作之際，偷偷把一女一兒帶走，晚上並派一名打手威脅，要她繼續工作，否則不准她與兒女見面。（柏老按：這是中國社會惡傳統的一部份，用兒女作爲夫妻間鬥爭的工具——有些惡棍，還揚言要殺兒女來迫使對方屈膝，比起『不結婚的女人』的女主角，你以爲如何？）苦命女爲了生活，只好繼續工作。前天，她偷偷找到丈夫的住所，發現一雙兒女蹲在樓梯口，饑寒交迫，滿身髒兮兮，母子三人相擁痛哭，兒女震於父親的淫威，不敢隨母親走，苦命女寫信給輔仁大學同舟社法律服務部求助，她希望能跟丈夫離婚，並願撫養一雙兒女。』

同舟社毫無辦法，只抖出來幾條『六法全輸』給她，唯一的辦法，只有盼望那位鴨子屎丈夫振作。問題是，該鴨子屎丈夫振作起來，固然稱心如意，可是振作也者，並不那麼簡單，看情形他一竿到底，硬是蠻幹啦，『反正妳跑不掉』，誰都救不了她。

去年十一月二十五日臺北新生報，也有一則新聞：二十一歲的另一位苦命女，於一九七四年嫁給臺東縣的詹頂順先生，就不斷遭受丈夫的毒打。一九七五年，詹頂順外出服役。公公婆婆繼續努力，把她趕出大門。苦命女只好帶着四個月大的孩子去當店員，可是兩個無恥的公婆，却反過來伸手向她要錢。到了一九七七年，苦命女又懷了孕，惡公惡婆知道後，恐怕影響她的店員工作，失去財源，就强迫她墮胎，然後像押解人犯一樣，把她押解到高雄市瑞呈旅社，交給老闆娘黃甘草女士，脅迫苦命女賣淫。還由保鏢鄭發先生充當監獄官，不准她行動自由。

這件事的結局，比同舟社有勁。苦命女終於逃走，一串狗男女，全部入獄。嗚呼，幸虧她跑掉啦，如果她『跑不掉』，誰也救不了她。

人際之間的關係，跟『人』『物』之間的關係不同，婚姻要靠愛情維持，不能靠『定於一』『跑不掉』維持。一旦只靠『跑不掉』，這姻緣就不是好姻緣，而是惡姻緣矣。夫妻間沒有了愛情，代之而起的，小焉者互不關心，大焉者恐懼、厭惡、輕視。於是輕的紅杏出牆或藍杏出牆，重的天天鐵公雞、大打大罵。更重的，不是自己犧牲終身，就是興起殺機。尤其『物』可能僅只有一個，而男人女人到處都是，除了丈夫，還有別的男人；除了妻子，還有別的女人。所以對方有隨時『跑掉』的可能，而正因爲有這一種可能，婚姻才有幸福，蓋要想使對方不跑掉，不能乞靈於『定於一』思想，只有靠不斷的培養愛情。正因爲不是『定於一』，才能更加珍惜，否則的話，妳不珍惜丈夫——或你不珍惜妻子，自有人珍惜也。

好啦，我們再請教衞道之士，對上述的那兩位苦命女，認爲她們是離婚好耶？或認爲被糟蹋到死好？我們一定要聽聽答案，這答案可以顯示一個人的道德水準，可以顯示一個人是充滿了人性，或充滿了獸性。

唯夫史觀

最近接到的讀者老爺來信中，大半是反對離婚的，有一位住在彰化的讀者老爺，理直氣壯曰：『老頭，你竟然鼓勵離婚呀，人家美滿的好姻緣，硬被你活生生的拆散。』義正詞嚴，威不可當。柏楊先生特別再聲明一次，白紙印黑字，我可從沒有鼓勵人家離婚，而只是認為女人有離婚的權利，希望人們不要瞎着眼一味反對離婚。猶如我可從沒有鼓勵人家吃辣椒，而只是認為人們有吃辣椒的權利，希望不要瞎着眼一味反對別人猛吃。這個論點必須弄清楚，問題一旦被攪和成人工漩渦，不分青紅皂白的一股腦往裏捲，那是漿糊腦筋的蠻纏，我可纏不過你，就算你贏。至於說好姻緣被我活生生拆散，我已聲明過我沒有這麼大的力量，這種雲天霧地的話，用以整人時吹鬍子瞪眼，以壯聲勢，其效如神。用以討論問題，恐怕是越討論越糊塗。

凡好姻緣都固如金湯，誰都拆不散，如果憑我老人家寫幾個字就能捧打鴛鴦兩離分，那恐怕準不是啥好姻緣。嗟夫，有些好姻緣，固表裏如一，眞是好姻緣。但也有些好姻緣，却只是表面上看起來像好姻緣，實際上却是惡姻緣，我們可以把它分爲兩類，一曰歐洲中古貴族型的惡姻緣，一對夫婦，在客人面前，或是大庭廣衆之中，勾肩搭背，溫言軟語，簡直是天生璧人，愛河永浴，可是等到大家作鳥獸散，他們也就將軍不下馬，各自奔前程，或分頭投奔情夫情婦，或關門悶坐，來一個張飛穿針，大眼瞪小眼。一曰中國傳統受氣包型的惡姻緣，老奶空有一肚子學問和一肚子靈性，却被丈夫踩在脚底下，專供他閣下一人淫樂奴役之用，百般辛苦，永無出頭之日。

不管那一種型態，一旦老奶頓開茅塞，挺起脊梁要跟臭男人一樣做一個眞正的人，丈夫就立刻大跳其高。促使貴閣下跳高的責任好像並不在我，而在貴閣下的尊蹄，如果把尊蹄稍微挪開一點，甚至只要踩得輕一點，就會天下太平。不檢討自己的尊蹄，而只遷怒別人的嘴巴，無以名之，名之曰惡夫。孔丘先生曰：『苛政猛於虎』，在男女婚姻中，惡夫比苛政更爲殘忍。

惡姻緣中，惡夫對妻子採取的是孤立手段，孤立手段的理論基礎是孤立主義，孤立主義的哲學是唯夫史觀——稱它爲唯夫主義也行。唯夫史觀者，丈夫第一，其他人類都是第三第四（根本沒有第二），此乃『夫爲妻天』的傳統史觀也。古書上的教訓比比皆是，『丈夫』是妻子的『所天』，丈夫一旦抬到太平間，妻子的天就塌啦，試想一個人頭上沒有了『天』，那景象是何等的可怖，於是寡婦就成了『未亡人』，亡者，死翹翹也，意思是說，天已塌啦，小奴家只有坐以待斃一條路。

——臭男人死了妻子，可沒有坐以待斃的念頭，而是胸懷大志，急着再娶一個如花似玉。咦，當男人眞是妙不可言。

大男人沙文主義不一定產生惡姻緣，但惡姻緣往往由於大男人沙文主義。在上篇敝大作中，我們曾嚷嚷夫妻兩方，一旦有了『跑不掉』的信心，結果將是哀哀一生，話說得似乎不夠周延。中國古老的社會中，事實上『跑不掉』的只限於女人，男人却隨時都可以跑掉，老奶死啦，丈夫固然可以順理成章的跑掉，即令老奶仍然活着，丈夫也照樣可以跑掉——如娶一大堆姨太太之類。女人如果想追隨男人之後，也那麼一跑，那簡直是捅了馬蜂窩。朱買臣先生的太太，餓得兩眼昏花，要另找飯碗，就挨了兩千年的罵——不但臭男人罵，唯夫主義者的老奶也罵，幾乎沒有一個人同情她閣下饑寒難當，也沒有一個人承認她有拒絕被丈夫活活餓死的權利。理學系統開山老祖之一的程頤先生，他曾爲唯夫史觀下了一個明確的界說，那就是：妻子死啦，丈夫可以再娶。丈夫死啦，妻子却不能再嫁，膽敢再嫁，不但嗤之以鼻，還要踩之以脚。有人問程頤先生曰：『寡婦貧苦無依，能不能再嫁乎哉？』他閣下端起嘴臉，斷然答曰，『絕對不能，有些人怕凍死餓死，才用饑寒作爲藉口，要知道，餓死事小，失節事大。』好一個『餓死事小』『失節事大』，這個『節』，就是大男人沙文主義爲女人唯夫史觀定下的標竿，女人必須堅守這個專門爲她們立下的標竿，逾此一步，便死啦骨頭都是臭的。程頤先生眞是一個典型，對慷他人之慨，和流別人之血的事情，特別大方。眼睜睜的看着一個窮苦的寡婦，摟着骨瘦如柴、奄奄一息的兒女，輾轉破蓆之上，哀哀求告，活活餓死的慘狀，不但沒有一絲惻隱之心，反而聖心大樂，翬起爲唯夫史觀的光榮勝利乾盃。想起來孟軻先生說的：『無惻隱之心，非人也。』眞不知道大男人沙文主義『非人也』之後，會是個啥。（柏老可沒說大男人沙文主義會成爲禽獸，惡棍丈夫可別亂罩。）

——注意『藉口』兩個字，用得眞是結棍，輕輕一筆，就一手遮天。夫藉口也者，必須是眞理由說不出口，只好順手拈來另一個可以出口的假理由，這假理由不能單獨存在，而是附麗在眞理由之上。如果根本就是眞理由，那就不能說他是藉口矣。好像我老人家在貴閣下尊肚上捅了七八九十刀，又在貴閣下心窩裏再補捅七八九十刀，然後搥胸打跌曰：『你竟然藉口死啦，不爬起來跟我打四圈麻將呀。』我想貴閣下可能氣得眞的爬起來，照我老人家屁股就是一脚。把眞實的理由，誣之爲『藉口』，似乎也應該得此金脚之獎。

唯夫史觀是三從牌和三靠牌史觀，大男人沙文主義肯定唯夫史觀的目的，是使老奶們有志一同，心甘情願的認爲連親爹娘都不可靠，只有丈夫才是第一級金飯碗。柏楊先生小時候聽鼓兒詞，每逢親爹跟丈夫發生衝突的時候，女兒一定反對父親，全力全心向丈夫一面倒，理論很簡單，那就是『穿衣見父，脫衣見夫』。在老爹面前必須衣冠楚楚，所以隔了一層，滾他的也罷。而在丈夫面前，却可脫個精光，肌膚之親，遠勝過父女之情，所以對丈夫老爺，不但要獻出老命，還要出賣爹娘。柏楊先生當時也覺得這道理天衣無縫，可是後來越想越不對勁，當女娃兒幼時，固也是赤條條臥在老爹懷中的也。可是在唯夫史觀中，女娃兒幼時這一段不算，嫁了後才算。這種半截邏輯，我老人家怎麼都不懂。不過我老人家不懂沒有關係，只要大男人沙文主義懂，就行啦。

不僅古老的社會如此，就是現代社會，已到了二十世紀末期，唯夫史觀仍被一些惡棍丈夫認爲是幸福婚姻的哲學基礎。柏楊先生有一個年輕的朋友，他就對他那大學堂畢業的漂亮妻子，每天耳提面命，千言萬語一句話，天下人都不重要，只有丈夫重要——而且是最最重要和唯一的最最重要。父母已不重要啦，朋友更不値一個屁，儀態萬方只是裝丈夫門面之物，學問衝天只可用來幫助丈夫走上成功之路。嗚呼，芸芸衆生，世道險惡，只有丈夫才是唯一愛她的人，她縱然不必殺身以報，却必須獻身以報，不但要獻肉體，還要獻靈魂、獻人性、獻時間、獻自尊。如果不獻，他閣下就痛心疾首兼雙脚亂跳，指着她的玉鼻吼曰：『妳就完啦。』老奶一聽『完啦』，魂飛天外，於是雖然被踩得齜牙咧嘴，却連哼都不敢哼。

其實也不一定哼都不敢哼，而是她哼啦等於白哼，徒招來更重的一踩。惡棍丈夫就是用唯夫史觀的哲學，建立起來孤立主義，妻子一旦被孤立，沒有父母，沒有朋友，惡棍丈夫就可隨心所欲，偶爾皇恩浩蕩，准許她哼，可是她的人際關係已被斬斷，哼也沒處哼矣。蓋兩眼漆黑，求告無門，只好眼淚往肚子裏流，恁憑惡夫千刀萬剮，片片宰割；一旦惡夫變心，要賣她的時候，她還懵懵懂懂，幫他講價錢哩。

孤立主義

對妻子的孤立主義，不是現代化的最新產品，而是最最古老傳統中，大男人沙文主義的具體實行方案。夫皇帝老爺一個臭男人，擁有那麼多如花似玉的小老婆，實在是其樂無比，歷史上嬪妃最多的莫過於西漢王朝，第十一任皇帝劉驁先生——他以美艷絕倫的太太趙飛燕而聞名於世，可是他的嬪妃就有四萬餘人。吾友楊廣先生當隋王朝第二任皇帝時，更屬於特別節目，他閣下擁有的如花似玉，竟達六萬餘人，不要說睡覺啦，就是每天向每個如花似玉瞄上一眼，就能累得得角膜炎。把這麼多美女關在一個大集中營，即所謂皇宮之中，而又要她們除了對皇帝老爺一個人熱情如火之外，對其他臭男人一律冷若冰霜，只有使用孤立主義，才能達到目的。那就是，內在的灌輸她們唯夫史觀，使她們自動自發的守身如玉，認爲丈夫是唯一的眞理，而把其他臭男人都視如寇仇。外在的用深宅大院和宦官制度，嚴加戒備，根本不讓她們跟除了皇帝老爺外的任何有危險性的男人接觸。使她們既不想跑，也跑不掉。（還是老話，男女之間，一旦被認爲跑不掉，那就是吃定啦，結果是啥，前已言之矣。）

——有些被稱爲仁君的好心腸皇帝，每隔十年八載，就放一批宮女出籠。柏楊先生想，這總是善意的，（他閣下硬是不放，關妳一輩子，像『白頭宮女在，閒話說玄宗』那位阿巴桑，誰也木法度。）但這些被放出來的宮女剛跳出皇帝老爺的皇宮地獄，差不多立刻就再陷進貴族豪門的世家地獄。她們跟外界隔絕太久，東西南北都摸不清，連自己是啥地方的人也模模糊糊，即令摸得清，記得明，貧苦之家，親人早已星散，面對着陌生的茫茫人海，連一步都難邁，只好任憑人肉販子牽到那裏算那裏矣。

二十世記初，清王朝剃頭的拍巴掌，完了蛋，民主政體建立，皇帝雖然消滅，可是皇帝老爺宮廷和貴族豪門世家那種奴隸主的陰魂，仍凝聚不散，在大男人沙文主義的肚子裏陣陣作怪。丈夫是唯一的眞理那一套已行不通，於是唯夫史觀的內容，遂搖身一變，變成『愛情』，於是，只有丈夫的愛才是眞愛，其他的愛都是騙局。臭男人日夜都在灌輸這種思想，妻子在偉大的感召之下，不得不心服口服，一百個情願的嫁鷄隨鷄，嫁狗隨狗——認命啦。至於深宅大院和宦官制度，同樣的也無法使之重現（對大男人沙文主義而言，眞是遺憾），因之，所採取的孤立手段，另有一種新的景觀。

一曰　斬手斷脚式的孤立　柏楊先生說斬手斷足，可不是惡棍丈夫大發雄威，拿起鋼刀，把老奶的玉手玉足，幹掉一條。而是惡棍丈夫用的是精密的或粗糙的設計，斷絕妻子五倫之一的朋友一倫。使妻子跟她的朋友，包括同學、同鄉、同事，全部凍結，或全部毀棄。惡棍丈夫以唯夫史觀爲哲學基礎，理直氣壯，義正詞嚴，妻子不得不跟社會，最初是疏遠，最後是隔離。就在柏楊先生左鄰，住着一對夫婦，經常吵鬧得鑼鼓喧天——其實只是男人一個人在那裏鑼鼓喧天，每次都勞動我老人家御駕前往勸解。有一次，男人吼老奶曰：『我告訴妳，妳每小時都要給我打一個電話，我要知道妳在幹啥。妳那些狗皮倒灶朋友，若某某，若某某，從今天起，都不准來往。』老奶曰：『我跟柏老來往總可以吧。』男人曰：『到目前爲止可以。』老奶曰：『以後如何？』男人曰：『以後看他的表現，由我決定。』當下老奶流淚，柏老流汗。男人又吼曰：『朋友第一，我佔第二，妳心目中還有我們這個家乎？還有我這個丈夫乎？朋友的事，妳很熱心，丈夫却可丟在一旁。』我老人家一聽，此乃惡姻緣之家，非我老漢久留之地，就給他來了一個一溜烟。蓋該男人不但是臭男人，而且是混男人，弄不懂妻子的人際關係跟丈夫的夫妻關係，有本質上的不同，妻子的人際關係代替不了丈夫，丈夫也代替不了妻子的人際關係。在友情的角度看，每個老奶都有丈夫，却不見得每個老奶都有禍福與共的朋友。在婚姻的角度看，每個老奶縱然朋友滿天下，而決定終身幸福不幸福的，却只有丈夫一人。友情和婚姻相輔相成，是並存的，不是衝突的也。男女之間是良姻緣抑或惡姻緣，看他們是不是尊重對方的人際關係，就八九不離十矣。而該男人認爲朋友在擠丈夫，所以丈夫必須以牙還牙，死攪蠻纏，我搞不過他。

主要的，這不是丈夫對妻子的態度，而是奴隸總管對女奴的態度。幸而我老人家總算得天獨厚，迄今爲止，仍是該男人尊府的上賓或下賓，使我得以繼續觀察，咦，該男人所以死攪蠻纏，並不是眞的糊塗蟲，而是故意的把妻子的人際關係跟丈夫放在同一位格，然後借題發揮，目的只在斬斷妻子跟外界的聯繫而已罷啦。

斬斷妻子跟外界的聯繫，最大的好處是妻子成了甕中之鼈。甕中之鼈最大的好處是『殺人如草不聞聲』。從前時代，妻子可以向娘家搬救兵，現在娘家往往遠在千里萬里之外，有些還甚至還沒有娘家，或娘家太弱，假如再沒有朋友，惡丈夫一旦膽大包天，就無人可制之矣。尤其現在社會結構大變，老奶擁有屬於自己名下的私人財產，和一旦父母駕崩後的財產繼承權，這一點固老奶的福，但也未必不是老奶的禍，惡丈夫如果天生異稟，具有艾克斯光巨眼，穿過老奶美妙胴體，只看見銀子，事情就有點庥煩。貴閣下不是常看電視乎，惡姻緣中的謀財害命，第一要佈置的，就是先使妻子陷於孤立。對妻子關心的人越少，惡丈夫獸性得逞的機會也越高。

我們强調謀財害命，未免太嚴重，固有許多只謀財不害命的，也有許多只害命不謀財的，更有許多只圖折磨折磨，關着門過過爵爺癮的。但不管那一種，他第一件要做的事，就是先把妻子的人際關係切斷。我們可在這裏提出一個定律：丈夫一旦對妻子採取孤立主義，那可是一個惡兆，小心，小心。

二曰 洗腦交心式的孤立　上述的外在孤立是身體上的孤立，洗腦交心則是內在的心靈上的孤立，也就是愚民政策，也就是使妻子知識和智慧，日益貧乏。這倒有一個尖銳的例證可端到桌面上。柏楊夫人的老哥張强仁先生，某大學堂的教習也，嫂嫂想當年也曾學富五車。有一次柏楊夫人返里省親，正碰上該老哥耍鐵公鷄。蓋嫂嫂不知道從那個垃圾箱裏揀了一本『讀者文摘』來看，該老哥就立刻覺得危機四伏，必須暴力鎮壓。蓋在他可敬的觀念中，女人只限於閱讀『烹飪大全』『編織入門』之類。偶爾夫恩浩蕩，網開一面，看看言情小說，也勉强可以容忍——有些惡棍丈夫連這也都防範於未然，嚴加禁止。至於看『讀者文摘』，甚至閱讀一些能夠產生獨立思考，和判斷是非的書，簡直是罪證確鑿，叛跡已彰，豈可任其逍遙法外，動搖家本乎哉。

柏楊先生兩個月來，一直在跟讀者老爺共同探討婚姻問題。於是有人說我在提倡女權，嗚呼，女權不過人權的一部份。只因人權的政治意味太重，我們就把範圍縮小到家庭，僅可憐兮兮的要求把人當人，要求男人把女人當人，認爲女人跟男人一樣的也是人，如此而已。一位讀書老奶來信曰：『凡有你專欄的那天中國時報，我先生就收起來。每逢看不到報，就知道有你的大作，我就到巷口買一份，柏老，你說的有哪些地方不對？』我想當然有很多地方不對，蓋惡棍丈夫不但要孤立妻子的人際關係，也要孤立妻子的知識和智慧，使她的心靈僵固。咦，凡有思想的奴隸都是危險的，一旦妻智大開，就可能產生被壓迫的感覺，假如她確實被壓迫的話，他的龍墩就坐不穩啦。我們可在這裏再提出一個定律，凡是反對女權——認爲女人天生低一等，不准她追求知識智慧的男人，準是惡棍丈夫，小心，小心。

爲了保護孤立主義，惡棍丈夫有他們的秘密武器，那就是動不動就轟出『挑撥』『離間』大炮，怎麼，我們夫妻本來『和睦』得很呀，都是你們這些三姑六婆、邪門外道挑撥離間的呀。這秘密武器如泰山壓頂，有時候也眞是靈光，能把鄉愿之士，砸得腦漿迸裂，一哄而散。但柏楊先生可是老毛驢，砸到頭上，連包也不起一個。

女人的名字・強哉驕

吾友歐文先生有一篇小說『李伯大夢』。男主角李伯先生有一天上山打獵，看見一羣穿着古裝的荷蘭移民在打九柱球，並且敬了他兩盅老酒。酒醒之後，回到故居一瞧，已面目全非。初上山時尚呀呀學語的小女兒已嫁人生子，原來尚在懷抱中的兒子，則長得跟自己一樣的高，而且一樣的好吃懶做。老朋友有的死運亨通，去閻王殿報到。有的官運亨通，去華盛頓當了參議員。當年爬在他肩上翻觔斗，跟在他屁股後追逐吆喝的一些頑童，現在全成了有選舉權的美利堅合衆國公民，使他恍如隔世，不勝瞪眼。只有一件差堪告慰的事，就是他那花樣百出的妻子，在他上山不久的一天，向一個小販光火，而終於一命歸陰。

常有些朋友拿柏楊先生跟李伯先生相比，問曰：『老頭，你雖然沒有喝荷蘭酒，可是恍如隔世則一，李伯的感受我們已知道啦，你一去十載，可覺得台北有啥改變也哉？』嗚呼，臺北恐怕是世界上改變最大的都市之一，像房子越來越多，人越來越擠，汽車越來越排長龍，錢越來越不値錢。然而，仔細想起來，這都沒啥，柏老久經滄桑，見怪不怪，其怪自敗，只有一樣使我花容失色的就是女人。蓋從前是男人看女人，現在則是女人看男人；從前是男人追女人，現在則是女人追男人；從前是男人潑皮，現在則是女人的臉似乎更厚（以致連鬍子都長不出）；從前是男人赤膊上陣、闖五關、斬六將、獻身事業，現在的女人則十指尖尖，猶如鋼爪，把男人抓得呼天搶地。於是，柏老喟然嘆曰：『女人，妳的名字，强哉驕。』

『强哉驕』是吾友孔丘先生發明的，在儒書裏，他閣下詩興大發，冒出來一連串的『强哉驕』——『君子和而不流，强哉驕。中立而不倚，强哉驕。國有道，不變塞焉，强哉驕。國無道，至死不變，强哉驕。』柏楊先生因而套之，不過是趕着何仙姑叫二姨，沾點仙氣兒，以便流傳萬年，家喻戶曉。有人說，孔丘先生用的是『矯』，而不是『驕』，老頭何得亂改。問題就出在這裏，學問龐大之士，啥都敢改，我老人家還是小改，一旦自以爲可以一手遮天，我還要大改。

『强哉驕』者，『既强悍又驕傲』，值得我們遞佩服書之意也。吾友莎士比亞先生曾宣傳女人是弱者，在他那個時代，大概有眞理在焉。可是眞理也會變，時間能夠改變太多的事物，他老哥如果今天從棺材裏爬出來，抬頭一瞧，女人忽然『强哉驕』，恐怕羞愧難當。

臺北一家著名的大學堂外文系畢業的女學生，系花兼校花也，長得沉魚落雁，閉月羞花。有一天，路過一家公司門口，看見一輛一九九九的賓士汽車，（在柏老看來，凡是四個輪子而自己會跑的玩意都是汽車，後我才曉得等級奇多，在目前的臺北，『賓士』屬於九段，價值三百萬元——把柏老綑起來當猪崽賣，也抵不上一個輪胎。據說屁股坐在上面，舒服得要命。）她閣下見了該『賓士』，立刻渾身發軟，繞著它左轉右轉，前轉後轉，伸出纖纖玉手，把車身摸了個遍，嘖嘖稱讚，口水四流。一會經理老爺上車，該强哉驕馬上抓住天賜良機，未語先笑，嗲曰：『這車是你的呀。』經理老爺眼睛一亮，應曰：『噎死。』强哉驕曰：『我好想坐一坐，不知道能不能請你帶我兜兜風。』經理老爺曰：『歐開，歐開，撲里死，撲里死。』强哉驕乃輕邁蓮步，慢移玉臀，緩緩坐在經理身旁。以後經過，我不知道，反正是郎有心，妾有意，狗皮倒灶，結論是，經理老爺跟太太離婚，落入强哉驕之手，雙雙去了洋大人之國。（柏老聽了這個故事，就開始擔心，一旦該强哉驕在紐約遇到了一輛『砍的拉屎』，不知道還會不會再去亂摸。）

這位女士，可稱之爲『摸汽車型』的强哉驕。而另一位女士，則屬於另一種型的焉，說來就話長啦。柏老有位年輕朋友，已過五十歲大關，尙未婚配，老實忠厚，（這可不是讚美之詞，用另外一句同性質的話來說，老實忠厚，不過寃大頭罷啦。）見了女人，先臉紅，後心跳，舌頭上像拴了一塊十公斤重的鐵餅，連話都說不清。女朋友永遠絕緣，妻子更不必談。柏楊先生就爲他出主意，與其坐以待斃，不如徵婚，直接了當的解決問題。

就在去年九月，徵婚大典開幕，啟事在報上刋出後，應徵信件雪片飛來，老朋友們組織了一個審查委員會，挑選出最最理想的一位，由柏楊先生率領該朋友，按址前往晋謁。該小姐相貌端莊，職業高尙，雖是半老徐娘，却也儀態萬千。柏楊先生一見鍾情，對朋友訓之曰：『小子，小子，好自爲之。』當時約定第二天由他們單獨見面。就在晚間，柏老又把朋友召到汽車間，（柏楊先生按：柏陽先生自一九七七年四月一日離開綠島，隆重回到台北，蒙羅祖光先生收留，住進他臨時裝潢華麗的汽車間。）面授種種機宜，認爲十拿九穩。

第二天晚上，柏楊先生正襟危坐，等候消息，直等到半夜，朋友像鬥敗了的鵪鶉，垂頭喪氣，跟跟蹌蹌跑進來，我一瞧就知道他遇到的對手不是莎士比亞先生的『弱者』，而是柏楊先生的『强哉驕』。原來二人最初約定在一個較小的餐廳見面，强哉驕堅持去一家臺北最大的餐廳。朋友本來打算吃個A餐B餐的，强哉驕却非點菜不可，第一盤就來了一個偉大龍蝦。

嗟夫，到西餐館點菜，眞得有點銀子才行，然而這還不足以使朋友出汗，使朋友出汗的是，强哉驕玉音問曰：『你今年多大啦，報上登的年齡可是眞的？』朋友曰：『是眞的，不信可以看身分證。』强哉驕曰：『身分證也有假的，也有當初虛報年齡的，看它幹啥，我只問你今年多大啦？』朋友告訴了她，强哉驕曰：『你現在幹啥？』朋友曰：『在夜間部教課。』强哉驕曰：『那你白天幹啥？』朋友曰：『不幹啥，只是在家裏看書。』强哉驕曰：『你白天爲啥不各處活動活動，力圖上進？』朋友這時已開始發毛，强哉驕續問曰：『你有沒有機會出國？』朋友結巴曰：『恐怕沒有。』强哉驕曰：『別人都有機會出國，都有綠卡，你年將半百，爲啥沒有？』朋友緊張曰：『我不知道。』强哉驕曰：『你一月多少錢？』朋友曰：『六七千元。』强哉驕曰：『六七千元，怎麼能養家活口，我過慣了舒服的日子，可不能受苦。』朋友滿面羞慚，大汗猛出，然後强哉驕曰：『徵婚啟事上說，你有房子，到底有幾棟？』朋友曰：『一棟。』强哉驕大驚曰：『一棟？你這麼一把年紀，只有一棟？』朋友曰：『一棟，一棟。』强哉驕曰：『在啥地方？』朋友告訴她地方，强哉驕曰：『幾樓？』朋友告訴她幾樓，强哉驕曰：『是木門窗，還是鋁門窗？』朋友曰：『木門窗。』强哉驕再度大驚曰：『木門窗的，那房子準不値錢。』朋友喃喃曰：『不値錢，不値錢。』强哉驕向朋友臉上端詳了一陣，厲聲問曰：『你臉上開過刀沒有？』朋友這一輩子從沒有開過刀，可是這時已神智不清，急忙應曰：『開過刀，開過刀。』

強哉驕曰：『你走路怎麼外八字？』朋友根本不是外八字，這時也坦承不諱他是外八字。好容易帳單送來，兩個人吃了一千八百元，大概只有地藏王菩薩知道我那位朋友是怎麼走回來的。

這位女士，可稱之為『鋁門窗型』的強哉驕，柏老除了面諭該朋友三十六計，逃為上計外，別無他計。不過看起來鋁門窗的人有福啦。迄今又過了四個月，不知道該強哉驕找到鋁門窗的男士沒有，眞敎人掛心也。

三上吊與劉玉娘

關於强哉驕，我們已介紹過兩種類型。僅只兩種類型，當然不能一網打盡，爲了立德立言，現在再加補充兩個類型。加起來恰恰四個，正湊夠一桌麻將牌。

有一位也是大學堂畢業的女學生，此婆的神通，與『摸汽車型』的迴異其趣。蓋『摸汽車型』的强哉驕，用的是現代化的精密科技，只要玉手一指，輻射線泉出如湧，男人就立刻渾身痲木，身不由己的俯首帖耳，被抓將過去，壓在屁股底下。而我們現在推薦的這位女士，用的是中國傳統的擒拿術，即『一哭，二鬧，三上吊』是也，一舉一動，都是重量級的，姑名之曰『三上吊型』的强哉驕，當者披靡，無不臣伏。

有一男士焉，一表人才，英俊得跟柏楊先生一樣，他有一位遠在羅馬的女朋友，魚雁往返，兩地相思，女朋友就要回國白頭偕老。偏偏三生有幸兼三生不幸，三上吊型的强哉驕看上了他。最難消受美人恩，加上男主角善良得近乎窩囊，於是，遂被抓住不放。有一天，强哉驕把他喚到跟前，宣稱非嫁他不可，男主角嚇了一跳，一百個不肯，好吧，女人們最最厲害的法寶祭了起來，强哉驕號曰：『你跟我已有肉體關係，你想玩玩就算啦。我的天呀，我的娘呀，我不要活了呀。』

這種法寶，如同封神榜上皇太子殷郊先生的翻天印，百發百中，砸在誰頭上誰都得翻身落馬。——跟這屬於同性質的，還有另一種法寶，那就是太太要想甩掉丈夫時祭出的『性無能』，比翻天印還要厲害，簡直是核子武器。英雄好漢一旦挨了這種核子武器，立刻就會屍骨無存。

女人當然同情女主角，認爲這種男人，如不被驅逐出境，簡直是沒有了天理。而男人方面不管自己是不是也性無能，對別人的性無能，却興趣盎然，硬是認爲他死有餘辜。尤其糟的是，這種事有口難辯，你總不能到處聲明你性有能，不信請試試吧。記得十六七年前的事矣，臺北地方法院有件這種官司，妻子要離婚，丈夫不肯，妻子就一口咬定丈夫性無能。該丈夫急啦，要法官准許他當場表演。結局如何，他們表演了沒有，法官在壇臺上觀看了奇景沒有，因爲報上沒有登，我們就不知道矣。

問題是，對於『性無能』，男士反攻，還有一線生機。但對於三上吊型强哉驕『俺跟他有肉體關係』的當頭棒喝，却是連一線生機都沒有，一旦陷入埋伏，除了身敗名裂外，只有雙膝下跪一途。該男主角雖然仍作最後掙扎，但强哉驕既有『肉體關係』作理論的基礎，豈怕你踢騰乎。她閣下跑到男主角家宣稱要自殺，又宣稱要殺他的全家——包括他的父母兄弟姐妹，又宣稱要潑他硝强水，又宣稱要發傳單揭發他的種種醜行。又躺在他家地板上打滾，又跑到他服務的單位披頭散髮。最後，她更來一記結實的左鈎拳，說她已懷了身孕，偶爾有個膽大包天的長輩要她去醫院取個懷孕證明書來，這一下可算是捅了馬蜂窩，她就一頭撞到長輩懷裏，把鼻涕兼眼淚全部塗到長輩剛買來的新西裝上，又駕臨長輩官邸，聲言你既然破壞我的『家庭』，我也要破壞你的家庭，大家死在一堆算啦，把長輩老爺搞得魂不附體，向她哀哀求饒。任何朋友只要插一句嘴，都有如此報應，所以羣醫束手，誰都不敢作聲，而且該三上吊型也有溫柔的一面，她發誓保證，她自知配不上他，只不過求孩子有個父親而已，結婚以一年爲限，隨時可以離婚。這句話說的比唱的還好聽，恩威並施，終於吹吹打打進了洞房。現在結婚已五年有餘，該男士每天在街上閒逛，沒有一個朋友敢上門，他也不敢上任何一個朋友的門。

另一種類型，也銳不可當，我們上尊號曰『劉玉娘型』的强哉驕。這一型强哉驕，最明顯的特徵是，在『義』『利』關頭，有極其明智的抉擇。有一位女士的丈夫忽然坐了牢，她閣下起初也確實是伉儷情深，傷心欲絕。可是當她聽說丈夫要判長期徒刑的時候，她跟劉玉娘遺棄她那中箭待斃的丈夫，携帶金銀財寶一溜了之的情形一樣——只有一點不一樣，現代化的强哉驕沒有一走了之，而是把丈夫辛辛苦苦掙的家產一口吞沒。原來，丈夫愛她入骨，把所有家產全用妻子的名字，這時自然順理成章的嚥到肚子裏。同時也沒有送碗酪漿，而是由每星期探監兩次，減爲每星期一次，每月一次，而終於一次也不一次，最後取得了離婚證書，把想當年海誓山盟，願爲她死的丈夫，孤苦伶仃的丟在深獄，任他自生自滅。

有皇后之尊的劉玉娘跟皇弟李存渥，是在丈夫喝了酪漿之後才雙宿雙飛的，現代化的劉玉娘則在一聽丈夫要判刑，就迫不及待的伸出鐵掌，抓住了一個現代化的李存渥。此公有妻有子，而且一向閫令森嚴，下班之後，必須立刻回家報到，否則大禍臨頭。按說那位太太也屬於强哉驕，却不料强中更有强中手，强哉驕跟日本圍棋界一樣，也有論段數的。我們的劉玉娘乃十三段高手，自然有超級絕技。她閣下天天開著她那在牢房輾轉呻吟，哭天無淚丈夫的汽車，在下班時去衙門接男主角。有一次，遇到一位尚在葫蘆裏裝著的朋友，告之曰：『他太太管他管得奇緊，恐怕他不敢出來。』她閣下冷笑曰：『哼，看是他太太厲害，還是俺厲害。』她閣下一向宣傳自己十分高貴的，一聲『哼』和一句『看誰厲害』，使葫蘆裡裝著的朋友張大了嘴。結果證明十三段高手，到底不凡，男主角俯首就範，乖乖登車，葫蘆裡裝著的那位朋友緊張得幾乎栽了個觔斗。

最精采的是，不知道怎麼搞的，那個女主角的該死丈夫，慢慢調理，竟然活蹦亂跳的出了獄，出了獄並不好受，他忽然發現無家可歸，一貧如洗，老窠沒啦，家產也沒啦，暈頭轉向，在人行道上搭了一個地鋪，想了幾天都想不通。柏楊先生是目睹過他們夫妻過去親密逾恒歷程的，當下熱血沸騰，自告奮勇向强哉驕交涉曰：『老傢伙晚景堪憐，你們原來的房子，妳現在不住，可否讓他暫住一下，一俟另行覓到棲身之所，即行搬走？』强哉驕立刻大義滅親曰：『根本不可能，教他找我的律師。』當時就寫下律師姓名電話，神色儼然，氣壯山河，柏楊先生踉蹌逃出，幾乎一步下了八個台階。嗚呼，男女兩性，如果發起狠來，做出同樣絕情的事，女人要比男人惡毒得多。尤其是『劉玉娘型』强哉驕，一旦英姿煥發，簡直是脫了褲子打老虎，既不要命，更不要臉，膽敢迎戰，無不大敗。男人不是被她馴服，就是被她一脚踢。不是被她奉承得心裏癢癢，就是被她不當人子。君不見『殺子報』一戲乎，女主角就是劉玉娘型的强哉驕，她跟一位有道之士通姦，兒子發覺了秘密之後，把有道之士揍了一頓，老娘戀姦情熱，惡從心頭起，毒從膽邊生，跟有道之士聯合下手，把親生兒子宰啦。不過宰啦的結果並不理想，在農業社會，人口是靜止的，忽然失踪了一個孩子，當然人言沸騰，終於搜出了屍首，一對可敬的情侶，被一條絞繩勾消。

現在，勝利了的女主角似乎遇到難題，她厲害是眞厲害，現代李存渥先生終於被俘，被俘到女主角之家，作任何男人都嘖嘖稱羨的上炕之賓。可是男主角的太太，也非等閒之輩，說啥都行，就是拒絕離婚。八年之久，男女主角雖然同床共枕，却只能算是姘居。於是每隔幾天，强哉驕尊府就要爆發一場駡陣節目，除了駡現代李存渥無能外，（不是性無能，而是離婚無能。）接著又駡李存渥夫人曰：『死不要臉，丈夫不要她，她還死揪著不放。』理直氣壯，聲震四鄰。柏楊先生眞怕日久天長，她喉嚨會得砍殺爾。

說來說去，女人的名字不是弱者，女人的名字是强哉驕。不管是那一型，男人都抵擋不住。

挑大樑·不放手

我們介紹過的四種類型的强哉驕，在男女關係上，現代化的老奶，把男人當作獵物，其狀如老鷹抓小雞，只要看準目標，一抓一個，絲毫不爽，縱是想當年以男人為主流的時代，對女人也不致這般得心應手。其實現代化老奶不僅對男人如此，對一向被男人盤據的『事業』地盤，也高跟鞋林立。

在十九世紀之前，女人唯一的事業，就是家庭主婦——包括四大項目，曰『嫁人』，曰『煮飯』，曰『洗衣服』，曰『養小孩』。除了這四項，還有兩項，曰『娼妓』，曰『戲子』。後兩項很不好聽，正因為不好聽，所以一直到二十世紀三〇年代，老一輩死腦筋還轉不過這個彎。

抗戰時名震全國的話劇『結婚進行曲』裏有一幕，當房東老頭聽說女主角『在外面做事』時，頓時呆得連鑰匙都掉到地下，可道出普通人的頑强印象。中華民國建立了之後，女人事業多了兩項，曰『教員』，曰『護士』，（『電影明星』屬於戲子之類，『舞女』似乎屬於更糟之類。）偶然老奶們也上上政治舞台，但多半靠父親的餘蔭，或丈夫的領帶——我們尊之爲『領帶關係』，以別於妻子的『裙帶關係』。靠自己本領闖出萬兒來的，眞如鳳毛麟角。至於在工商界，更沒影矣。

吾友李耳先生曰：『物極必反。』老奶們被傳統禮教『大門不出，二門不邁，內外有別』了幾千年之後，最近十年來，開始『必反』。遍數臺北，女董事長、女經理、女業務主任，滿坑滿谷，到處都是，一個個理論兼實際，天文兼地理，玉舌如簧，不但能把活人說死，還能把死人說活。而且腦筋裏裝著鐵算盤，一面談笑風生，一面算盤叮叮噹噹的響，剎那間就算出柏楊先生用三年時間都算不出的結論。

一位從大學堂畢業才五年的老奶，會七八國的英文兼七八國的日文，情報靈通，武藝高强。得知有東洋之大亨，或西洋之大亨來臺採購，立即披上獵裝，奔到機場，洋大亨一下飛機，她就飛奔而上，抱住脖子，亂喊一陣『打鈴』『打鐘』之後，右手接過提包，左手抱住右臂，滿洒著香水的秀髮硬往洋大亨鼻孔裏戳。此時也，那些同樣聞風而至的男董事長、男經理，雖也佈下了包圍大陣，却像狗咬刺蝟，無從下口，亂喊亂叫一通，眼睜睜看著洋大亨被玉手綁上了汽車，冒黑煙而去，只好站在黑煙裏跺脚高罵，恨不得馬上跑到醫院開刀，變成女兒之身。

老奶的香閨就是公司的秘密陣地，三杯黃湯下肚，美色又復當前，該美色對市場情形，又瞭如指掌，講得頭頭是道，大亨的架子端不起來，而且如獲至寶，唯恐被趕出大門。於是教他簽委託書他就簽委託書，教他簽支票他就簽支票。第二天，老奶像牽條哈巴狗一樣的牽著大亨的鼻子，去各廠商看貨，各廠商見了老奶，如同見了祖宗，而老奶這時又是一番莊嚴的嘴臉。如此這般，銀子滾滾而來，業務滾滾而大。然後坐鎭山頭，傲視四方。

這種老奶，我們尊之爲『挑大樑型』的强哉驕，並不是每一個挑大樑型的都要動用女人特有的資本，不過，如果條件相當，男方鐵定吃癟。

挑大樑型的强哉驕，風塵僕僕，孤軍奮戰，也有一把辛酸眼淚，而且正正當當做生意，我們十分崇敬。只是，她們似乎有一個共同特徵，大多數挑大樑型的强哉驕，都視自己的丈夫如芻狗，丈夫如果窩囊過度，淪落在妻子手下或公司裏當一名大小職員，那股氣恐怕是可眞難受。記得若干年前一個電影上，有一天，不知道怎麼搞的，身爲董事長的太太，突然下令把擔任秘書的丈夫的辦公桌，從自己辦公室搬出來，不但把辦公桌搬出辦公室，還把丈夫的身子從床上搬出大門，那就是，剎那間免去了本兼各職。我們因係自稱爲文化大國之故，截至目前爲止，挑大樑型的强哉驕還沒有過這種高潮，但大勢所趨，恐怕總有一天會如此這般，柏老有厚望焉，諸女娃其共勉之。

最後，還有一種老奶，我們尊之爲『不放手型』，不知道應該屬於或不應該屬於强哉驕，蓋在某一個角度看，她確實强哉驕。而在另一個角度觀察，她又可憐兮兮，站在弱者的一邊，好像是兩棲動物。但特質則一，就是不管丈夫老爺如何荒淫無道，硬是含垢吞聲，決心同歸於盡。『劉玉娘型』中那位現代化李存渥夫人，就是一個樣版。對於負心的丈夫，硬是來一個『你有千條計，俺有老主意』，你儘管在外邊嫖妓女，軋姘頭，我都放你一馬，但緊守最後防線，就是不離婚，用一根看不見的繩子拴到他尊脖之上，像吾友孫悟空先生在妖怪五臟上拴一條毫毛一樣，只要輕輕一拉，妖怪老爺雖神通廣大，也腹痛如絞，就地打滾。這是懲罰性的妙法之一，足可以使姘夫姘婦，寢食不安。

男人得自求長進

「強哉驕」同胞，可分為四類，一曰功利類，「摸汽車」「鋁門窗」「三上吊」「劉玉娘」，都包括在內。一曰事業類，「挑大樑」屬之。一曰家庭類，「不放手」屬之。一曰靈性類，吾友娜拉女士屬之。

原始社會，是以母親為中心的，人類只知道有娘，不知道有爹。蓋那個時候沒有學堂之設，大家懵懵懂懂，認為生孩子乃出於天老爺的恩賜，跟臭男人無關。女人既擁有大批兒女做打手，自然稱王稱霸。臭男人孤苦伶仃，形單影隻，只好吃癟。可是到了後來，不知道怎麼搞的，聯合起來，把女人統統拴到家裏，規定她們的責任有二：一是服侍丈夫，一是養育小娃。最初，管理還不太嚴格，臭男人死翹翹，妻子還可以再嫁。稍後儒家大腿之一的朱熹先生提倡理學，把女人踩在鐵蹄之下，要她們嫁鷄隨鷄，嫁狗隨狗，嫁給混帳王八蛋，就得跟混帳王八蛋過一輩子，連丈夫老爺把她賣啦宰啦，都不准喊哎喲，喊哎喲就是大逆不道，人人得而誅之。爲了預防女人叛變，學問龐大份子還發明了『女子無才便是德』學說，作爲獸性大發的理論根據。柏楊先生年輕時，還親眼見過這種場面，當男人眞是舒服，當混帳王八蛋男人尤其舒服。最近美國卡特總統嚷嚷『人權』，學問龐大份子立刻引經據典，一口咬定中國的人權是『古已有之的』——反正不管你說啥，包括核子武器在內，中國一律『古已有之』。不過男人到底有沒有人權，我們不敢說。我們只敢說，女人身上旣綁著『七出之條』，恐怕是沒啥人權。老奶們唯一的人權，只是爲男人活著的人權。

人權就是人性的尊嚴，凡違反人性尊嚴的東西必然的要受到反擊，而被一掃而光，男人被閹成宦官，女人被纏成小脚，流行而且讚美了幾千年之久，如今安在哉。中國科舉制度下的知識份子是世界上最乖巧的一種動物，對於生命中最刺心的嚴肅課題，旣沒有能力沉思，也沒有道德勇氣反抗，以致沒有人敢爲宦官和小脚吶喊。而所有的咆哮都是罵宦官天生賤種，跟罵女人不守婦道的。而婦道者，臭男人爲她們擺的道也。

話拉得太遠，反正古代女人都是莎士比亞先生筆下的弱者。中國歷史上似乎只有兩位値得人們從內心崇拜的女士，一位是花木蘭，她跳出了家庭，化裝爲男人，投針從戎，報効國家。一位是秋瑾，她跳出了婚姻——跟她那位醬蛆丈夫離了婚，這本來已夠衞道之士腦充血啦。而她又加入了反抗淸王朝暴政的革命黨，直是雙料叛徒。

但這亘古以來的兩位女英雄，下場却使人沮喪，猶如亘古以來的男英雄岳飛、于謙的下場使人沮喪一樣。花木蘭女士在身經百戰之後，仍塗上口紅，穿上高跟鞋，跳到她原先跳出的家庭之中，去服侍男人。秋瑾女士更倒楣，被小報告朋友告了密，綁赴刑場，執行斬決。

到了中華民國成立，女人紛紛上了學堂，有了『才』啦，儒家理學系統那一套的殘餘力量，像一條糟麻繩，女人的『才』就是剪刀，把那條糟麻繩剪得柔腸寸斷，開始向沒有愛情的婚姻挑戰。吾友易卜生先生『傀儡家庭』中的女主角娜拉女士，就是這一類的典型。當她閣下拋夫棄子，走出家庭的時候，跟她那位怎麼都弄不明白的丈夫有一番對話，說明女人已邁進了一個前所未有的境界。我們把這段對話抄在下面，敬請讀者老爺參考——

男主角曰：『妳說啥，妳竟然把家庭、丈夫、兒女，都一股腦扔掉？妳就不想人生在世是怎麼回事？』女主角曰：『我不在乎這樣，我要爲理想獻身。』男主角曰：『妳瘋啦，妳要放棄妳的神聖義務？』女主角曰：『啥神聖的義務？』男主角曰：『妳眞的不知道，對丈夫、對兒女的神聖義務？』女主角曰：『我有更高的神聖義務。』男主角曰：『屁話，妳說說妳那更高的神聖義務是啥?』女主角曰:『自己對自己的神聖義務。』男主角曰:『妳在亂搞之前,應該先考慮考慮妳身爲人妻,身爲人母。』女主角曰:『我現在可再也不相信這一套,首先考慮到的是,我是一個有獨立人格的人,你當然也是。我知道所有人的意見跟你完全的一模一樣,書本上也是這麼寫的。但大家所說的,書本上所寫的,已不能使我滿足。我要自己去思考,自己去求證。』

無論如何,娜拉女士是强者,吾友法國作家普累孚斯提就有一篇小說名『强者女人』,誠柏楊先生的知音也。臺北某大學堂的一位女學生,在讀書的時候,就被頭腦像一盆漿糊的老爹和心狠手辣的繼母,用暴力强迫著她嫁給一個傖俗的男人,這男人在發了大財之後,因爲日夜在錢裏猛滾的緣故,就更傖俗加三級,如果這位女學生老奶也是同一類型的,那簡直是如魚得水,樂不可支。偏偏她是個藝術氣質很濃,境界很高,追求靈性人生的朋友。她不得不結婚,不得不生子,但她從沒有愛過他。這樣忍受了九年之後,她終於小包袱一捲,離家出走。嗚呼,人生各種痛苦中,只有傖俗使人不能忍耐,跟傖俗的人在一起生活——無論是擠在一個家庭或擠在一個牢房裏,都是最大的苦刑。她閣下出走之後,租了一間四個半榻榻米的小屋,席地而居,過著飽一頓餓一頓的日子,但該老奶精神勃勃。丈夫老爺左想右想,前想後想,怎麼想都想不通一個女人怎麼會放著榮華富貴不享,而竟去追求啥子他媽的看不見兼摸不著，却陷自己於窮困潦倒之境的靈性生活。於是大跳了一陣子，一直跳了三年之久，才高抬貴手，跟她離婚，離婚的條件是一文不給，掃地出門。他以爲這下子可教她曉得錢的厲害，他死也想不到天下竟有一種女人是不愛錢的。我們本來要給這位老奶上尊號曰『秋瑾型』的強哉驕，但秋瑾女士成了烈士，我們不希望老奶也成爲烈士，所以改上尊號曰『靈性型』的強哉驕，以祝福她的生命更充實，活得更愉快。

靈性型的老奶不一定非離家出走不可，但這一型的老奶最大的特徵是『不忍到底』，對任何形式的虐待，無論是傖俗、粗暴、不忠，自私、不負責任、大男性沙文主義，忍耐都有一個限度。跟『劉玉娘型』的老奶恰恰相反，劉玉娘型最大的特徵是物質生活，第一想到的是自己的幸福，和如何保衞自己的幸福，劉玉娘女士本人就是爲了自己的前途，連親爹都不認，連親夫都要灌他酪漿。我們前次舉的那位劉玉娘型的老奶，她是在她丈夫正陷於災難，正依賴她，正需要她時候，把他丟到曠野，任憑虎狠吞噬。而那位靈性型老奶却不會爲銀子動心，而是在丈夫正飛黃騰達時，拋棄世俗的財富，去尋覓失去的自我。

有人說，天才都是瘋子，事實上也似乎差不多，即令生理上不是瘋子，心理上也是瘋子。自古迄今，才女之多，一百輛火車都載不完。但幾乎全都埋葬在禮教的虎威和金錢的誘惑之下。現在的才女可不那麼簡單，柏楊先生有一位女學生，跟她的同班同學結婚，那位丈夫老爺嫉妒心奇重，而且兇惡如狠，動不動就開揍。愛情固然產生嫉妒，但嫉妒可不一定就是愛情，有些醋罈子常嚎曰：『我愛妳，我才嫉妒呀。』『我愛妳，我才嫉嫉呀。』其實，那可不見得，劉玉娘型的强哉驕無不嫉妒得要命。最後，該女學生不顧一切，絕裾而去，遠走外洋。這需要有靈性支持的强大勇氣，普通人想都不敢想。

柏楊先生並不贊成動不動就翻臉，可是目前呈現的景觀，至少給月下老人一個警告，醉醺醺的亂繫紅線和亂點鴛鴦譜已不行啦。從前是丈夫『休』妻子，妻子死纏著不肯的時代。現在則是妻子『休』丈夫，丈夫死纏著不肯的時代。女人既都有德又有才，男人若不自求長進，就得馬失前蹄。

柏楊小傳

柏楊，本名郭衣洞。河南輝縣人，一九二〇年生，一九三七年中日戰爭爆發時，正在開封高級中學讀書。投筆從戎，集體參加國民黨，並在所屬的三民主義青年團擔任幹部。不久辭職，就讀位於四川省的國立東北大學，一九四六年畢業，時中日戰爭甫行結束，乃赴剛從日本手中收復的瀋陽市，擔任東北青年日報社長、遼東學院副教授。一九四九年抵達台灣。

一九五〇年起，以郭衣洞本名從事小說創作，爲寫作生涯之始，先後擔任中國青年反共救國團副組長、中國青年寫作協會總幹事、成功大學副教授、台灣藝術專科學校教授，稍後擔任『自立晚報』副總編輯。一九六〇年代用柏楊筆名爲該報及『公論報』，以他所創的特殊體裁，撰寫雜文，向中國文化中病態部份，及社會和官場黑暗面，作猛烈的揭發與攻擊，引起廣大反應。一九六八年三月七日，以挑撥人民與政府間感情罪名被捕，死刑起訴，減處有期徒刑十二年，開除國民黨籍。入獄後逢全國減刑，遂減爲八年。因禁太平洋火燒島。一九七六年三月六日期滿出獄，再被軟禁該孤島，經海內外及國際特赦會多方營救，延至一九七七年四月一日，始被釋放，計入獄九年零二十六天。在獄中曾寫中國人史綱等書。

返台北後，被聘爲中國大陸問題研究中心研究員，續爲『中國時報』及『台灣時報』，撰寫專欄，爲稿費及版稅最高的作家之一。一九八一年春，應邀前往新加坡共和國及馬來西亞聯邦訪問，受到英雄式歡迎，被稱『柏楊颱風』，中英文報紙譽爲『在火難中上升的鳳凰』、『中國文化的良知』。夏，赴舊金山參加世界詩人第五屆年會，在洛杉磯、紐約等地發表演講，以『中國的醬缸文化』爲內容，造成震撼。一九八二年春，訪問以出產鴉片著名的泰國金三角。再赴吉隆坡作專題演講。夏，赴馬德里參加世界詩人第六屆年會，訪問西班牙、德國、義大利、聖馬利諾、梵諦岡。一九八四年，參加美國愛荷華大學國際作家寫作計畫，以『醜陋的中國人』爲題，在美國各地發表講演，引起强烈的回響。

迄一九八五年二月止，共出版小說九部，雜文二十五部，歷史著作八部，主編文藝年鑑三部，文學選集五部，詩一部，報導文學兩部。而有關柏楊的研究選集、語錄、紀念文集等則有十四部。

自一九八三年起，將古文『資治通鑑』（中國上古中古時期政治編年史）譯成現代語文，被選爲最具有影響力的書，譯本稱『柏楊版資治通鑑』，分冊出版，每月一冊，每冊約十五萬字，預計七十二冊譯完。

柏楊年表簡編

●一九二〇年　一歲
河南省輝縣人。初名郭立邦。父郭學忠，母魏氏，母早亡。繼母祁氏。姊郭育英，妹郭育傑，弟郭德漳、郭德洋。

●一九二九年　十歲
就讀河南省立開封第四小學二年級。

●一九三〇年　十一歲
第四小學二年級。

●一九三一年　十二歲
九一八事變爆發。第四小學三年級。

●一九三二年　十三歲

轉學河南省立開封第六小學四年級。

●一九三三年　十四歲
不見容於繼母，被送回祖籍輝縣，就讀輝縣縣立第一小學四年級。

●一九三四年　十五歲
仍讀輝縣縣立第一小學，五年級。

●一九三五年　十六歲
以同等學力考取輝縣私立百泉初級中學。

●一九三六年　十七歲
百泉初中二年級。暑假後應升三年級，前往開封投奔父親，以同等學力考取河南省立開封高級中學。

●一九三七年　十八歲
七七事變，抗戰爆發。時剛升高中二年級，投筆從戎，考取河南省軍事政治幹部訓練班。在河南省南陽縣受訓。

●一九三八年　十九歲
由軍政班保送軍事委員會戰時工作幹部人員訓練團，在武昌左旗營房受訓，集體參加中國國民黨。

●一九三九年　二十歲
三民主義青年團成立，由戰幹團轉入三民主義青年團工作人員訓練班，集體參加三民主義青年團，在武昌珞珈山受訓。冬季分發擔任三民主義青年團中央直屬豫北分團部主任。由湖南長沙，經湖北公安、襄陽，抵達洛陽。

●一九四〇年　二十一歲
在河南省林縣設分團部。父親在開封去世。運棺柩返回輝縣。（時豫北二十五縣，除林縣外，全被日軍佔領。）

●一九四一年　二十二歲
轉任三民主義青年團河南支團部幹事，赴洛陽。

●一九四二年　二十三歲
辭三民主義青年團職，考取國立蘭州大學（當時名甘肅學院）法律系。赴蘭州。

●一九四三年　二十四歲
暑假，赴玉門遊歷。休學，轉赴重慶，投考其他大學，全未錄取。在教育部戰區學生招致委員會重慶登記處工作。

●一九四四年　二十五歲
改名郭衣洞，由教育部分發國立東北大學政治系三年級；前往四川省三台縣。

●一九四五年 二十六歲
抗戰勝利，仍讀政治系四年級。在三台。

●一九四六年 二十七歲
東北大學畢業。赴瀋陽，任『東北青年日報』社長、私立遼東學院副教授。

●一九四七年 二十八歲
兼任中央陸軍軍官學校第三軍官訓練班教官，在瀋陽籌辦『大東日報』。

●一九四八年 二十九歲
共軍進入瀋陽:;赴北平。

●一九四九年 三十歲
由北平經青島、上海，抵台灣。住鹿港初級中學教職員宿舍。從此在台灣。

●一九五〇年 三十一歲
任台灣省立屏東農業學校人事管理員。

●一九五一年 三十二歲
任台灣省立工學院附設高級工業職業學校教員。中華文藝獎金委員會徵文，應徵，是爲寫小說之始。

●一九五二年 三十三歲

任南投縣立草屯初級中學教員。

●一九五三年　三十四歲

赴台北，任國際青年歸主國際協會講師。受洗。與齊永培結婚。從此在台北。

●一九五四年　三十五歲

任台北縣立樹林中學教員。長子本城生。

●一九五五年　三十六歲

任中國青年反共救國團總團部副組長。十月，小說『打翻鉛字架』出版。

●一九五六年　三十七歲

任國立成功大學副教授。訪問日本、韓國。次子本垣生。

●一九五七年　三十八歲

辭救國團及成大職，妻齊永培離婚，與倪明華結婚，任『自立晚報』副總編輯。二月，小說『天涯故事』出版。

●一九五八年　三十九歲

任台灣省立台灣藝術專科學校教授。十二月，小說『兇手』出版。

●一九五九年　四十歲

幼女本明生。十月，小說『掙扎』出版。

●一九六〇年　四十一歲
在台北『自立晚報』，以筆名柏楊寫『倚夢閒話』專欄，是為寫雜文之始。

●一九六一年　四十二歲
十二月，小說『曠野』出版。

●一九六二年　四十三歲
在台北『公論報』寫『西窗隨筆』專欄。七月，雜文『動心集』（『玉雕集』）出版。八月，小說『莎羅冷』出版。十二月，雜文『妙豬集』（『怪馬集』）出版。

〔註：『』是一九七七年出獄後所改書名，（『』）是出版當時書名。下同。〕

●一九六三年　四十四歲
一月，雜文『降福集』（『堡壘集』）出版。四月，雜文『候駡集』（『聖人集』）出版。八月，雜文『咬牙集』（『鳳凰集』）出版。九月，雜文『騾子集』（『高山滾鼓集』）出版。十月，雜文『馬翻集』（『道貌岸然集』）出版。十二月，雜文『紅顏集』（『紅袖集』）出版。

●一九六四年　四十五歲
三月，雜文『不悟集』（『前仰後合集』）出版。七月，小說『怒航』出版。十月，雜文『眼如銅鈴集』（『神魂顛倒集』）出版。

●一九六五年　四十六歲
一月，雜文『亂做春夢集』（『鬼話連篇集』）出版。三月，雜文『笨鳥先飛集』（『大愚若智集』）出版。四月，小說『祕密』出版。六月，雜文『不學有術集』（『聞過則怒集』）出版。八月，雜文『跳井救人集』（『立正集』）、小說『古國怪遇記』（『雲遊記』）出版。十二月，雜文『吞車集』（『越幫越忙集』）出版。

●一九六六年　四十七歲

一月，主編『一九六五年中國文學年鑑』出版。四月，雜文『勃然大怒集』（『心血來潮集』）出版。

●一九六七年　四十八歲

三月，雜文『孤掌也鳴集』（『蛇腰集』）出版。六月，雜文『水火相容集』（『剝皮集』）出版。九月，雜文『猛撞醬缸集』（『死不認錯集』）出版。十一月，主編『一九六六年中國文學年鑑』出版。

●一九六八年　四十九歲

一月，雜文『玉手伏虎集』（『牽腸掛肚集』）出版。三月，因大力水手漫畫，被司法行政部調查局逮捕入獄，死刑起訴，軍法審判。

●一九六九年年　五十歲

妻倪明華離婚。以叛亂罪被判有期徒刑十二年。開除國民黨籍。

●一九七〇年　五十一歲

囚禁台北縣景美鎮軍法處監獄。

●一九七一年　五十二歲

囚禁台北縣景美鎮軍法處監獄。

●一九七二年　五十三歲

押解火燒島國防部感訓監獄。

●一九七三年　五十四歲

囚禁火燒島監獄。

●一九七四年　五十五歲

囚禁火燒島監獄。

●一九七五年　五十六歲

減刑爲八年。（刑事犯減刑一半，政治犯減刑三分之一。）

●一九七六年　五十七歲

三月七日，八年刑期屆滿。移送台灣警備總司令部火燒島指揮部軟禁。

●一九七七年　五十八歲

四月一日，出獄，抵達台北。中國大陸問題研究中心聘爲研究員。在『中國時報』寫『柏楊專欄』。十二月，獄中著作『中國帝王皇后親王公主世系錄』、『中國歷史年表』出版。

●一九七八年　五十九歲

一月，雜文『活該他喝酪漿』出版。與張香華結婚。孫觀漢回國探親，首次會面。

●一九七九年　六十歲

在『台灣時報』寫『皇后之死』。一月，獄中著作『中國人史綱』及雜文『按牌理出牌』出版。十一月，雜文『大男人沙文主義』出版。

●一九八〇年　六十一歲

一月，歷史『皇后之死第一集』出版。十一月，歷史『皇后之死第二集』出版。十二月，雜文『早起的蟲兒』出版。

●一九八一年　六十二歲

二月，訪問新加坡、馬來西亞、香港。六月，主編『新加坡共和國華文文學選集』出版。七月，參加在舊金山舉行的世界詩人大會第五次大會，訪問美國。十一月，主編『一九八〇年中華民國文學年鑑』出版。

●一九八二年　六十三歲

一月，歷史『皇后之死第三集』及詩集『柏楊詩抄』出版。二月，訪問泰國金三角。四月，應馬華公會之邀講演，再訪馬來西亞。五月，報導文學『金三角·邊區·荒城』出版。七月，參加在馬德里舉行的世界詩人大會第六次大會，訪問西班牙、德國、義大利、聖馬利諾、梵諦岡。七月，雜文『踩了他的尾巴』出版。

●一九八三年　六十四歲

五月，歷史『可怕掘墓人』出版。九月，歷史『柏楊版資治通鑑』第一册『戰國時代』出版。十月，第二册『併吞六國』出版。十一月，第三册『楚漢相爭』及歷史『忘了他是誰』出版。十二月，第四册『匈奴崛起』出版。

●一九八四年　六十五歲

一月，第五册『黃老之治』出版。二月，第六册『開疆拓土』出版。三月，第七册『宮廷鬥爭』出版。四月，第八册『萬里誅殺』出版。五月，第九册『昏君輩出』出版。六月，第十册『王莽篡奪』出版。七月，第十一册『全國混戰』出版。八月，第十二册『馬援之死』出版；赴美國參加愛荷華大學國際作家寫作計畫。十月，第十三册『燕然勒石』出版。十一月，第十四册『跋扈將軍』出版。十二月，第十五册『黃巾民變』出版；由愛荷華返回台北。

●一九八五年　六十六歲

元月，第十六册『東漢瓦解』出版。二月，第十七册『赤壁之戰』出版。三月，第十八册『三國鼎立』出版。四月，第十九册『壽春三叛』出版。五月，第二十册『司馬奪權』出版。六月，第廿一册『八王之亂』出版。七月，第廿二册『大分裂』出版。八月，第廿三册『五胡亂華』出版。小說『秘密』英譯本在香港出版。雜文『醜陋的中國人』出版。九月，第廿四冊『石虎肆暴』出版。十月，第廿五冊『符堅大帝』出版。十一月，第廿六冊『肥水之戰』出版。十二月，第廿七冊『參合殺俘』出版。

●一九八六年　六十七歲

元月，第廿八冊『王始帝國』出版。二月，第廿九冊『統萬碑文』出版。三月，第卅冊『自毀長城』出版。四月，第卅一冊『南北朝』出版。五月，雜文『帶箭怒飛』出版。六月，第卅二冊『劉彧詔書』出版。七月，第卅三冊『全盤漢化』出版。八月，『柏楊詩抄』英譯本在香港出版。九月，第卅四冊『蕭鸞眼淚』出版。主編台灣一九八五年現實批判文存『台灣是誰的家』出版。十月，『柏楊小說選』在香港出版。十一月，第卅五冊『洛陽暴動』出版。

●一九八七年　六十八歲

元月，第卅六冊『河陰屠殺』出版。三月，應邀參加香港電台及星島日報聯合舉辦的第三屆青年閱讀獎勵計畫『開卷有益』，主持頒獎。主編台灣一九八六年現實批判文存。『誰在說眞話』出版。四月，第卅七冊『遍地血腥』出版。五月，第卅八冊『餓死宮城』出版。六月，第卅九冊『禽獸王朝』出版。七月，第四十冊『黃龍湯』出版。『柏楊雜文選』在香港出版。八月，『金山角・邊區・荒城』英譯本在香港出版。九月，第四十一冊『突厥可汗』及雜文『中國人，你受了什麼詛咒!』出版。十一月，第四十二冊『南北統一』出版。十二月，第四十三册『官逼民反』出版。

●一九八八年　六十九歲

元月，第四十四册『江都政變』出版。『柏楊說故事』、『柏楊在火燒島』二書出版。二月，『柏楊小說選讀』出版，並主編中國大陸作家文學大系『高女人和她的矮丈夫』、『小城之戀』、『她有一頭披肩髮』、『天狗』、『黃泥小屋』、『丹鳳眼』、『空城』、『老棒子酒館』陸續出版。三月，『醜陋的中國人』日文版在東京出版。主編台灣一九八七年現實批判文存『是龍還是蟲』出版。四月，第四十五册『玄武門』出版。五月，第四十六册『貞觀之治』出版。六月，短篇小說集『掙扎』出英譯本在香港出版。『中國人，你受了什麼詛咒！』日文版在東京出版。七月，第四十七册『黃金時代』出版。（『柏楊版資治通鑑』每月出版一書，計七十二册譯完。）

皇冠叢書第1539種

柏楊雜文選讀

柏楊談愛情

◉柏　楊　著
◉張香華主編

發 行 人：平鑫濤
出版發行：皇冠出版社
台北市敦化北路120巷50號
電話：7168888
郵撥帳號0010426－9號
登 記 證：局版台業字第1059號

印 刷 者：今日彩色印刷有限公司
中和市中山路2段340巷26號
電話：2489186

定　　價：新台幣160元　港幣48元
如有破損或裝釘錯誤，請寄回本社更換

初　　版：中華民國七十七年 九 月
第 四 版：中華民國七十八年十一月
國際書碼：ISBN 957-33-0071-0